Гелий РЯБОВ

GELIĬ RIABOV

KAK ETO BYLO

КАК ЭТО БЫЛО

ROMANOVE

РОМАНОВЫ:
сокрытие тел, поиск, последствия

SOKRYTIE TEL, POISK,

POSLEDSTVEĪA

«ПОЛИТБЮРО»
Москва
1998

УДК 882-94
ББК 84Р7
Х 20

ISBN 5-89756-006-4

ОТ АВТОРА

Есть несколько причин, по которым я решил написать эту документальную повесть.

Первая и, пожалуй, главная, заключается в том, что 17-го июля сего, 1998 года, власти обещали похоронить Царскую Семью и Ее людей в Петропавловском соборе Санкт-Петербурга. Это означает, что, если это обещание и в самом деле будет выполнено, — будет перевернута одна из последних, но, на самом деле, главная страница самой страшной революции (по последствиям) за всю многотысячную историю человечества. И поскольку я был одним из тех, кто в 1976—1979 гг. предпринял первую реальную попытку отыскать секретное захоронение Романовых и Их людей, сохранять молчание далее — по любым соображениям — бессмысленно.

Вторая причина состоит в том, что я прошел путь — от так называемого «советского» человека к человеку, глубоко постигшему природу большевизма и произведенной им революции, а также античеловеческих законов, этой революцией порожденных. Возможно, этот путь будет интересен кому-то.

Третье: обстоятельства и подробности, связанные с поиском и обнаружением захоронения, — эти обстоятельства достаточно уникальны и оттого интересны, смею думать, многим. Как и последствия этой находки.

Г.Рябов
1998 год, Москва

«...более греха на том, кто предал Меня...»

От Иоанна, XIX, 11.

Осенью 1952 года, в один из ясных, погожих дней, поутру, я, как и всегда, приехал в Юридический институт к началу занятий. У входа толпились студенты и преподаватели, виднелись синие шинели милиции, никого не пускали. В толпе юрко скользил оперуполномоченный уголовного розыска Иванов — маленький, худой, в неизменной «форме» оперативных работников тех лет: невзрачное серое пальто, хромовые сапоги, на голове — «кубанка». «Оперов» преступная среда знала наизусть, их так называемая «секретная агентура» была притчей во языцех, в «скурвившихся» преступников тыкали пальцем, угрожали, иногда и расправлялись. Конспирация в те времена носила характер разговорного жанра: «Вчера был на встрече с «человеком», получил ценную информацию — готовятся «взять» ларек», — вещал тот или иной опер; но, как правило, «информация» оказывалась чистой «дезой» — преступники инспирировали агента, тот радостно нес «удачу» в клювике, на поверку все оказывалось чепухой.

— В чем дело? — спросил я Иванова. (Я учился на втором курсе, год с лишним «служил» в «Бригаде содействия милиции» — существовала в те времена такая общественная организация, в помощь «органам», и был на хорошем счету: не уклонялся от борьбы с хулиганством, малолетними безнадзорными и преступниками, ко мне хорошо относились).

— Да вот у вас тут пятеро нажрались поутру, перед работой, а вместо самогона кто-то поставил бутыль с ацетоном. Они все на радостях и «приняли». Ну, и ... отбросили. Копыта.

— Кто поставил? — полюбопытствовал я.

Он посмотрел тяжело, непримиримо:

— Сион, кто ж еще... — и зашагал к подъехавшему автомобилю, из которого высыпали каменные лица в штатском. «МГБ» ... — подумал я, внутренне поежившись.

У меня не было никаких иллюзий по поводу госбезопасности. Только что милицию убрали из МВД и передали в МГБ[1] — чем все сотрудники гордились безмерно. «Госужас» создавал иллюзию принадлежности к великим делам и не менее великим свершениям. Здесь пахло не примитивным карманным воровством или квартирными кражами, здесь возникало пространство, на котором любимую родину охраняли от империализма, шпионов, диверсантов, отравителей и пособников-сионистов. То были еще дальние подступы к делу врачей и широким планам «окончательного решения еврейского вопроса». На Руси все делают основательно и «скрупилезно», начни здесь «решать» — Гиммлер и Кальтенбруннер перевернулись бы в гробах от зависти...

---

[1] Это произошло, если не изменяет память, в 1951 году. Сталин решил сосредоточить все оперативно-розыскные и карательные органы в «одной руке». Это явно усиливало именно карательные функции социалистического государства рабочих и крестьян. (*Примеч. авт.*)

Я не случайно упомянул руководителей РСХА[1] Третьего Рейха. Дело в том, что тоталитарные вожди исстари «обменивались» определенным опытом, Мусолини и Гитлер позаимствовали у Ленина понятийный аппарат, связанный с деятельностью партии большевиков. До сего дня непосвященные «вдруг» открывают для себя схожую, иногда абсолютно идентичную фразеологию обеих партий: ВКП(б) — КПСС и Германской национал-социалистической рабочей партии. Вождь, партия, масса, риторика, обрамление в искусстве — все это близнецы-братья. Сталин еще в 1936—37 гг. ввел в органах безопасности так называемые «специальные звания», кои положили непреодолимый водораздел между званиями армейскими и званиями в госбезопасности. Армия должна действовать во вне. ГБ — внутри. Это принцип. Скажем, командир полка, позже — полковник, носил три, потом — четыре шпалы в петлицах, а равный ему по званию сотрудник НКВД назывался «капитан госбезопасности» и носил неизменные три шпалы — вплоть до введения погон в 1943 году. Армейский майор соответствовал «старшему лейтенанту госбезопасности» и так далее. Форма НКВД—НКГБ сохранялась всегда особая, скромная, как бы армейская, но далекого революционного времени. У чекистов на левом рукаве гимнастерки располагался шитый золотой нитью «щит и меч».

Откуда это взялось?

---

[1] Главное имперское управление безопасности — разведывательно-контрразведывательный и репрессивный орган Германского Рейха. (*Примеч. авт.*)

От Адольфа Гитлера. Еще до прихода к власти в 1933 году Гитлер ввел сначала в штурмовых отрядах, «СА», а затем и в охранных, «СС», специальные чины и позже сохранил их — в отличие от армейских. «Унтерштурмфюрер» (в буквальном переводе — «младший вождь бури») соответствовал армейскому лейтенанту, «группенфюрер» — генерал-лейтенант — «вождь сообщества» и так далее.

Вожди учились друг у друга.

Что касается аббревиатур советских спецслужб — они менялись в зависимости от обстановки в стране и по мере «поступательного развития СССР». ВЧК — здесь упор делался на «чрезвычайность» действий, — шла гражданская; ГПУ — Ленин решил сосредоточить ведомство товарища Дзержинского исключительно на политической работе; НКВД — это лукавство. Смысл НКВД был в его самом главном управлении — ГУГОБЕЗе — Главном управлении государственной безопасности, ну и так далее.

Казалось бы, все это напоминало детскую игру взрослых дядей. Верно. Для непосвященных и не желающих думать — это кровавая (в результате) игра.

Но на самом деле не все так просто.

Нация с неустоявшейся политической системой имеет и неустойчивую социальную психологию. Последствия оной — недовольство, мятежи, обращенность общества в милое сердцам сограждан прошлое. Еще недавно, совсем недавно, оно было «проклятым», «кровавым», «антинародным» и прочим, а теперь, в сравнении, из будущего — все смотрится совсем иначе.

И Гитлер и Сталин это прекрасно понимали.

Гитлер придумал своим охранным псам «вагнеровскую» — странную, страшную, трагическую и величественную форму. И народ вначале замер от ужаса и смятения, а потом, падкий до необыкновенных зрелищ, — зааплодировал.

Сталин сохранил в госбезопасности внешнюю «большевистскую скромность». Это не метафора. Это реальность. ГБ — во веки веков — «вооруженный отряд партии». И русский народ, запомнивший скромную форму, вскоре соотнес ее с кровью: расстрелами, арестами, обысками и насилием. Тут никто не спутает. Появляется человек со щитом и мечом на рукаве, и можешь не сомневаться: меч — для твоей головы, щит — для защиты кучки кремлевских правителей.

Иванов провел меня в «смертную комнату». То было помещение институтского сантехника, кажется. Пятеро сидели за круглым столом, понуро опустив головы; на столе сиротливо темнела объеденная колбаса, огрызки хлеба, остро пахло ацетоном.

— Ты мне нужен... — Иванов вышел в коридор, я — следом, мы попетляли по лестницам и переходам, наконец мой благодетель счел, что у этих окружающих нас стен ушей нет, и заговорил, тихо и внятно:

— Много болтаешь, говоришь лишнее. Третьего дня, на семинаре по истории партии, ты сказал, что товарищ Сталин в двадцать втором году говорил не то, что через десять лет. Противоречия ищешь? Смотри...

Я обмер. Действительно, в каком-то невнятном споре с преподавателем я задал вопрос: что считать истиной. Преподаватель ответил: всё. Что вышло из уст Вождя — то и истина. А противоречия — видимые. По сути никаких противоречий нет.

— Откуда... вы знаете? — глупо спросил я.

— Оттуда, — ответил он без улыбки. — Прикуси язык. Знаю случайно. На твое счастье. Учти: в твоей 41-й группе есть агент. Усвоил?

Эти «тонкости» я давно уже ел с кашей. Страна пронизана агентурой всех уровней и назначений, и, если на скамейке в парке двое влюбленных говорят «лишнее», «органы» узнают об этом немедленно. Конечно, байка, но суть страшноватая... Однако Иванов — «мент». А «работать» в 41-й группе должны совсем иные подразделения.

Этого самого МГБ. Что ж, мне просто повезло...

— Ты этому «человеку»... нравишься... — ухмыльнулся Иванов. — У этого человека возраст критический, а ты... Ты еще сопляк. Вы, сопляки, всегда нравитесь «критическому возрасту». Считай, это тебя спасло.

И я догадался. В нашей группе было несколько зрелых и даже перезревших (с моей, сопляческой, точки зрения) дам, одна из них часто бросала на меня недвусмысленные взгляды. «Она», — подумал я и искренне пожал Иванову руку.

Давняя история... Кому-то покажется, что к последующим событиям она не имеет никакого отношения. Нет. Это не так. Читатель должен понимать, в какой обстановке родилась «романовская» тема.

Следует еще добавить, что незадолго, кажется, в конце первого курса, исчез молодой человек, студент, его называли шепотом «пасынком Каменева». Русый, голубоглазый, он был кумиром наших студенток, они ходили за ним, словно сомнамбулы, и вот — исчез. Фамилия настигла, что еще можно сказать?

...Вторая лекция в тот день была по истории государства и права. Читал профессор Черниловский, небольшого роста, в очках, въедливый, ироничный и непримиримый. Позже, на экзамене, отвечая на вопрос о народных собраниях в древнем Риме, я назвал эти собрания «кондициями». Весьма обыкновенное дело, должен заметить в скобках. Мы и в самом деле учились как-нибудь, не утруждая себя и не надрываясь.

Черниловский снял очки, протер их, взглянул близоруко и сказал тихим и ровным голосом: «Собрания эти назывались «комициями», молодой человек. А «кондиция»... Это качество товара. Впрочем, для нас с вами это вряд ли когда-нибудь будет иметь значение...»

Скрытый сарказм, обращенный в адрес отечественных товаров, я оценил позже. Я получил «два» и понял, что отныне следует постоянно заглядывать в академический словарь.

...Слушали профессора невнимательно, то и дело вспыхивали — то тут, то там — громкие разговоры, Черниловский прерывал лекцию и произносил горестно:

— Неучи... Что с вами станется, и кем станете вы?

Шум смолкал, но не надолго.

...И вдруг я увидел, как незаметной мышкой

11

пробирается вдоль рядов студентка первого курса Лера Теплова — маленькая, с тонко перетянутой талией и высоко взбитыми надо лбом темно-русыми волосами. Милая Лера, светлое чувство (а может быть, увлечение? Или даже «просто так» — кто знает? В груди моей тогда неустойчиво подрагивал поплавок и не было якоря. Но разве ты виновата в этом?).

Села рядом (благо мест свободных было много), протянула несколько фотографий, опустила подбородок на ладонь и взглянула бездонно и ласково — так смотрят только любящие, и для чего я тогда отталкивал от себя этот взгляд...

У меня была другая, в городе на Неве, голубоглазая, круглолицая, с маленьким вздернутым носиком, не первая, да ведь как легко мы считаем в юности.

— Что это? — смотрю недоуменно.

— Это — казнь Романовых.

— Каких... Романовых? — и сразу — холодно, скользко — предупреждение Иванова. По битому стеклу хожу...

— Ну... — пожимает круглыми плечиками. — Тех самых. Николая II и... всех остальных. Ты знаешь о том, что их... расстреляли?

Оглядываюсь осторожно. Позади увлеченно играют в «Морской бой». Впереди игриво переговариваются. За кафедрой едва виден профессор. Он уже окончательно потерял надежду, что из нас что-нибудь получится. Когда-нибудь.

— Знаю. Ты... не нашла лучшего места? И времени?

О, милая, наивная...

12

— А... что такого? — в глазах непонимание — искреннее, без малейшего притворства.

— Увидит кто — головы не сносить... — шепчу яростно, но успеваю тем не менее увидеть и запомнить всё.

Фотографии 10x12 (примерно), четыре — матовые, две — глянцевые, все шесть — выцветшие, старые. На первой — четверо мужчин в военной форме слева, трое мужчин в такой же форме и две женщины — справа. Видна насыпь, дымит паровоз, за ним — вагоны. Застыла цепь солдат с винтовками.

— Это когда Царя привезли в Свердловск, — объясняет Лера. — Вот — Царица, вот — Царь...

— А... кто рядом?

— Не знаю.

Лера не ошибается, произнеся: «Свердловск». Надпись под обрезом (она, видимо, процарапана на негативе) — «Свердловск. Передача Романовых Уралсовету (слово «Уралсовет» заключено в кавычки. У тех, давних, неосознанное чувство юмора присутствовало несомненно) 30/IV 1918 г.»

Пройдет двадцать пять лет, и я буду знать: фото сделано с картины художника Пчелина. Эта картина некогда висела в музее товарища Свердлова, в Свердловске, на проспекте имени товарища Карла Либкнехта. Висела до тех пор, пока бушевала ненависть к «Кровавому царю». Забылась ненависть, умерло поколение вершителей, и картину сочли за благо убрать в запасник. Я увидел ее в натуре летом 1989 года, сотрудники музея показали ее мне, прочитав материал о гибели Семьи в журнале «Родина».

13

Пчелин отнюдь не гениальный художник. Полотно исполнено формально, без мастерства, в угоду заказчикам. Классовая ненависть налицо, непримиримы все лица. Нет на них ни любви, ни сочувствия. А в воздухе разлита печаль, безысходность, мрак. Василий Васильевич Яковлев — друг Свердлова, он стоит впереди Николая II, что-то объясняет — с обидой и недоумением — комиссару Белобородову. Рядом с Белобородовым — Филипп («Шая») Голощекин, военный комиссар Уралсовета.

Странная это дама, история. Она и вообще со странностями, а уж в России — и наипаче. Яковлев-Мячин, бандит, экспроприатор, некогда он снабжал деньгами школу Анатолия Луначарского в Болонье награбленными деньгами, а славный и добрый Анатолий Васильевич готовил в дело кадры большевиков-экспроприаторов. Партии надобно было жить, выживать, мужать и крепнуть. Без средств этого сделать никак нельзя...

И вторая фотография. Гостиная в доме Николая Николаевича Ипатьева, екатеринбургского делового человека. Стол, шкаф, стулья а ля рюс, камин каслинского литья. Плохие копии картин известных художников на стенах. Люстра под потолком, увесистый буфет. О вкусах не спорят, я думаю — Романовы и этой обстановке были несказанно рады в свои томительные последние дни. Здесь собирались по вечерам, Государь пел низким, глуховатым голосом «Умер, бедняга, в больнице военной, долго, родимый, страдал...» Стихи написал «К. Р.», Константин Романов, кому принадлежит мелодия — я не знаю.

Третья. Комната с высоким потолком, трюмо, тумбочки, на полу — горстка пепла. Здесь жили Великие княжны Ольга, Татьяна, Мария и Анастасия.

Четвертая. Начало лестницы, уходящей во тьму. По ней Они спустились в последний раз... Щиток с «пробками» и, кажется, «счетчиком» (оказывается, не большевистское изобретение) — все так обыкновенно, обыденно даже.

Пятая. Комната под сводами. «Смотри... — шепчет мне Лера на ухо. — Все дырки от пуль — внизу, у пола. Папа мне говорил, что Романовы были трусы, поэтому в момент расстрела сели на пол».

Ее отец умер. Давно. Он был чекистом. Его точка зрения понятна. У меня она не вызывает ни малейшего противодействия. Мой отец дрался с белыми на фронтах гражданской, мать сочувствовала ему, я воспитан в традициях. Как большинство.

Сейчас трудно вспомнить — что я почувствовал, рассматривая невнятный уже снимок, но одно помню твердо: холодок. На спине. В ладонях.

Таких фотографий я не видел никогда. Ведь у нас счастливая страна, счастливый народ, а это всё... Нечто из другого мира.

Наконец, внятный текст (печатный, типографский) под обрезом: «№78. Требования комиссара Войкова на серную кислоту». Орфография старая. Спрашиваю: «Это откуда переснято?» — «Не знаю».

Это из книги Н.А.Соколова «Убийство Царской Семьи». Через двадцать пять лет я узнаю об этом.

Но тогда, на лекции...

Зачем кислота?

Зачем?

— Чтобы... сжечь трупы, — тихо говорит Лера. Она осведомлена лучше. Она — понятливее.

...Я представил себе, как...

Увы. Ровным счетом ни-че-го. Сжечь? Ну и что? Это ведь враг народа. Николай II Кровавый. Палач. Истязатель. Погромщик. Как там у Владимира Ильича? «Им всем надо бы оторвать головы...» Или что-то в этом роде.

Ну — и оторвали.

Через много-много лет прочитал у советского дипломата Беседовского о том, что Войков после расстрела Романовых (он присутствовал) сорвал с шеи Государыни золотое кольцо с рубином на цепочке (жениховский подарок Государя) и до конца дней своих носил на пальце, любил разглядывать и...

Многое можно себе представить. Если рассказ Беседовского, конечно, правда.

Беседовский безапелляционен. Он перебежчик, в те годы — дальние, глухие — был врагом, он — сочинитель и, возможно, привирает от чувств неправедных, но настаивает: Войков на посту полпреда в Польше пил без просыпа, автор видел у него на столе в кабинете десятки и десятки опорожненных бутылок из-под коньяка (вероятно, Петра Лазаревича мучила совесть? Кто знает...); Войков был вызван в Москву для отчета: Москва перевела огромную сумму в валюте — для специальной работы, а посол (полпред по-тогдашнему) всё куда-то дел и сообщил, что потерял — не больше и не меньше.

На перроне Варшавского вокзала к полпреду подошел Борис Коверда. Этот человек, узнав о том, что Войков обеспечивал палачей Уралсовета серной кислотой, поклялся отомстить за убиенную Семью. Коверда расстрелял Войкова в упор. Полпред скончался на месте.

Нас всех иногда посещают озарения. В столкновении Войкова и Коверды увидели мистический знак, предопределение:

ВОЙ	КОВ
КОВ	ЕРДА

Этот крест был назначен в грядущей мгле обоим.

В Москву отправился гроб с телом Петра Лазаревича. Урну с прахом, по большевистскому обыкновению, замуровали в Кремлевской стене.

Беседовский утверждает, что на одном из приемов в Кремле, куда по старой памяти была приглашена и вдова покойного, кто-то кому-то сказал: «Сидеть бы ему в тюрьме, если бы остался жив. Кремлевская стена для него блестящий выход! Денежки-то — украл!»

Войкова услышала и с разворота влепила злословящему товарищу отменную оплеуху.

В 1989 году я нашел (через издательских работников) телефон вдовы Войкова — Аделаиды Абрамовны. Рискнул позвонить. Внятный голос, явно принадлежащий пожилой женщине, ответил:

— Да. Это я. Что вам угодно?

— Я хотел бы встретиться с вами. Поговорить. Вы так много знаете...

— О чём?

Лукавить было бессмысленно.

— О расстреле Романовых, о том, как вы и Петр Лазаревич жили в Екатеринбурге в 1918 году, о перстне, который якобы ваш супруг снял после расстрела с шеи Александры Федоровны.

Она ответила сразу:

— Я болею сейчас. Позвоните. Недели через две.

Она не отказала, не опровергла гневно.

Но через две недели я не позвонил. Заела текучка, забыл, а зря.

Что поделаешь...

М.К.Дитерихс в своей книге «Убийство Царской Семьи и членов Дома Романовых на Урале» уделяет Аделаиде Абрамовне несколько строк. Генерал пишет об оргиях, которые устраивала молодая жена комиссара продовольствия Войкова, о реках шампанского...

В кинофильме «Конь белый» я реконструировал эти безумные сцены. Но фильм — произведение художественное, не более того.

...Так начиналась эта история, но разве знал я тогда, в 52-ом, о том, что вся моя жизнь будет связана, странно и непостижимо, с погибшей Семьей?

Минули годы. В 1967 году я прочитал в «Комсомольской правде» (страна праздновала пятидесятилетие Октября, впервые были опубликованы весьма интересные подробности о революции и многом другом, с нею связанном) короткий рассказ о казни Романовых в ночь на 17 июля 1918 года. Рассказ потряс меня, изумил, поверг в состояние мрачное и опустошенное. Что ж, я был уже далеко не мальчик, за спиной остались годы, проведенные на ниве борьбы с уголовной преступностью, рядом со мной служили умудренные опытом и знаниями бывшие сотрудники госбезопасности (в те годы милиция была помойкой, отстойником, в который сваливали за разного рода провинности работников МГБ—КГБ), я усвоил наконец, что обе Системы выросли из НКВД и руководствовались в своей деятельности одинаковыми принципами и методами, разве что цели были разные и вспомогательный аппарат, секретная агентура — тоже разные. Но беспринципность и бесчеловечность — общие и равные, пожалуй. Я был не мальчик, я знал, как приводится в исполнение смертный приговор (рассказывали в подробностях), но некогда я убедил себя, что у нас, теперь, расстреливают только за дело, не зря, и подробности... Они были побочным мусором моей работы, не более того.

Здесь же я увидел, услышал, понял и догадался, что же сталось с людьми, которые ни в чем не были виноваты перед своим народом (я уже прочитал в Евангелии, что все грехи искупаются мученической смертью, смываются кровью). Их неторопливо, убежденно, спокойно вели по лестнице вниз, вниз, а они шли, Государь нес больного мальчика на руках, главное, главное — оно заключалось в том, чтобы они ни о чем не подумали. Ни о чем таком. Не догадались.

Предусмотрительным и подготовленным человеком оказался фельдшер и ювелир, фотограф Яков Юровский, назначенец Партии...

Психолог...

Умелец.

«Надежнейший коммунист». Определяя Юровского этими словами, Владимир Ильич был абсолютно прав!

«Юровский их ведет, или веду их я, или ведут меня, чтоб с ними расстрелять...» — я написал целое стихотворение, я ведь был искренне потрясен, я был явно не в себе, я испытывал... ужас.

Но я еще ни в чем не сомневался. Устои есть Устои. Я не дрогнул.

И снова прошли годы. Девять лет. Если бы я стал сейчас утверждать, что все эти годы «жил с этим», «мучился», «переосмысливал» и т.п. — я бы сказал неправду. Любые потрясения уходят в небытие, их поглощает Лета памяти — я забыл обо всем.

Но огонек все же тлел.

В 1976 году Министр Внутренних дел СССР Николай Анисимович Щелоков назначил моего покойного ныне соавтора Алексея Петровича Нагорного и меня своими внештатными консультантами по печати и кино. Это произошло в связи с тем, что была отснята третья серия «киноэпопеи» «Рожденная революцией» и показана Щелокову. Фильм произвел на министра несомненное впечатление. Он стал другом и защитником этого фильма надолго и всерьез. Вспоминаю, как однажды, после просмотра одной из серий на Гостелерадио (речь шла о ситуации в Москве в ночь на 20 октября 1941 года, когда город был на грани сдачи немцам и

Сталину пришлось ввести «Осадное положение» — с правом для милиции и НКВД немедленно, без суда и следствия, расстреливать преступников, мародеров и прочих), заместитель Председателя, весьма проверенная, опасливая и сугубо принципиальная дама, увидев на экране двоих расстрелянных без этого самого следствия и суда бандитов, эмоционально высказала свое несогласие Щелокову. Она была убеждена, что министр, как и она, как и все руководство ТВ, «не допустит» крови на «народном экране».

К чести Щелокова должен сказать, что он весьма спокойно и в то же время безапелляционно возразил: «Милиция всегда уничтожала бандитов и будет делать это впредь». Дама умолкла, казалось бы — все закончилось благополучно, но...

Нас уведомили: «ветераны» МВД обратились к министру в духе лживого и сладкокисельного брежневского времени: мы-де, — писали они, — были в 1941-ом в Москве, на улицах была яркая осень с небольшими дождями и... всё.

Одного из ветеранов я спросил: как же так? Вы, автор книги о тех днях, и вы — ни слова об уничтожении людей в ночь на двадцатое октября?

Он замялся. Оказывается, старички решили, что, если сцены эти жесткие в фильме останутся — их, дедушек, сочтут виновными в разглашении государственной тайны особой важности. Не свойственно коммунистам и чекистам убивать людей.

— Да ведь это чушь! — возмутился я. —

И почему вы решили, что источник информации — вы?

— Мы — чекисты! — гордо произнес он.

Да-а... Шестьдесят лет минуло, и все по-прежнему осталось, только демагогии и лжи стало безмерно больше.

— А вы это откуда знаете? — подозрительно осведомился ветеран.

— Мне очевидец рассказал, — я пожал плечами, — более смелый, чем вы.

Щелоков не дал хода письму ветеранов. Фильм вышел на экран без купюр.

Это было невероятно. Мы победили, хотя, по убеждению руководства ТВ, о милиции следовало рассказывать с экрана только то, что сегодня люди нормальные называют «мылом» — того или иного качества. Милиционер перевел старушку через дорогу, упал, сломал ногу, а бабушка потом вместе с внуками и внучками долго ходила к благодетелю домой, кормила с ложечки, а дети читали мужественному спасителю сказки на ночь.

Но здесь был Щелоков. Он спас наш фильм. А с КГБ номер не прошел. На Лубянке, как и всегда, бдели. Когда мы представили сценарий пятого фильма цикла «Государственная граница» о войне — нам сказали: «Неправильно написали! У вас все гибнут. А это — жертвенность, это наша партия осудила. Надо так: если один пограничник убит — двое оставшихся уходят к партизанам. Заставы никогда не умирают в одиночку. К ним на помощь всегда приходит Красная армия. Начните фильм на патриотической ноте: партсобрание на заставе. Пограничники решают вопрос об отражении

22

немецко-фашистской агрессии». Мы попросили: «Дайте хотя бы один протокол такого собрания». Увы, протокола не нашлось. КГБ решил, что мы не достойны продолжать «Государственную границу». Фильм продолжили другие люди. Они выполнили указания «органов» в точности, и фильм погиб безвозвратно. Алексей Петрович в это время умирал в военном госпитале. А меня выгнали отовсюду. В какое бы издательство я ни приходил, на какой бы киностудии ни появлялся — мне вежливо объясняли, что в моих услугах не нуждаются...

Щелоков наградил нас высшей наградой МВД: знаками «Заслуженный работник МВД СССР». Попросил съездить в Свердловск, обсудить с работниками милиции уже показанные по ТВ серии. Нагорный поехать не смог, отправился я. Перед отъездом, вручая командировочные и проездные документы, Щелоков задумчиво произнес:

— Я проводил в Свердловске всесоюзное совещание. Когда оказался в городе — попросил отвезти в дом Ипатьева. Я сказал: хочу постоять на том месте, где упали Романовы.

Взгляд у министра был отсутствующий, странный, я почему-то перестал замечать и различать форму, погоны, ордена. Я видел черноволосого, с проседью, сильно-сильно уставшего человека со светлыми глазами, в которых застыла... печаль.

Может быть, это мое воображение «работает» спустя много-много лет?

Не думаю. Так все и было.

Я вспомнил, как в одном интервью Щелоков без тени сомнения процитировал Маркса — то место из его статьи «О пауперизме и обнищании трудящихся масс», где основоположник произносит следующее: «Есть нечто гнилое в самой сердцевине такой социальной системы, которая увеличивает свое богатство, не уменьшая при этом нищету, и в которой преступность даже обгоняет рождаемость». Вряд ли образованный и очень неглупый человек (Щелоков именно таким и был!) мог произнести эти слова, не зная и не понимая, что произносит их о любезном Отечестве! Лучше многих было известно Щелокову о том, что в СССР никогда не уменьшали нищету, а преступность разве что до войны не обгоняла рождаемость.

Нет, я не хочу представить Щелокова дессидентом. Отнюдь нет. Но он всё видел. И всё понимал.

...А я не нашелся — что ответить, как поддержать разговор. Передо мною стоял всесильный министр, член ЦК КПСС, личный друг Брежнева. Каюсь. Я промолчал.

...Сегодня мало кто помнит, как трудно было при «советах» «достать» билеты на поезд. Я приехал на Ярославский вокзал отнюдь не во всеоружии своего «внештатного» при Щелокове положения, а просто обыкновенным гражданином СССР. Через час я понял, что «обыкновенным» не светит ровным счетом ничего — разве что длинные очереди и бесконечная «утомленка» — день за днем.

Я сдался. Стоять в очередях мне совсем не хотелось. Я отправился в Линейный отдел милиции.

В кабинет начальника я проник легко — обезумевшая от наплыва избитых и обворованных граждан секретарша почему-то не обратила на меня ни малейшего внимания. Полковник разговаривал о чем-то с человеком в штатском. Я догадался, что это, скорее всего, заместитель «по оперчасти». Я протянул свои проездные документы, полковник взъярился:

— Ну, что вы тут ходите? Думаете, раз из министерства — так мы тут перед вами расстелемся?

Здесь произошло нечто для меня неожиданное. По Маяковскому. Кто-то там смотрит «на сыщика», «сыщик — на жандарма». Я поймал взгляд зама. Он, этот взгляд, вонзился в мою грудь.

Поперхнувшись на каком-то слоге, смолк и полковник.

Оба смотрели на мой знак. «Заслуженного». «Вот это да-а...» — пронеслось в голове. В свое время я видел эти знаки на мундирах руководства. Они не производили на меня впечатления. Но теперь...

— Билет? Куда? Сейчас... — начальник оказался весьма любезным и оборотистым. Кто-то из офицеров принес билет через десять минут. Я вспомнил слова главного консультанта фильма: «Если у вас когда-нибудь появится автомобиль — не сомневайтесь. Этот знак вас всегда выручит». Он оказался прав.

...Поезд опоздал на четыре часа и на душном августовском рассвете въехал в город Свердловск, замерев у пустого перрона. Меня встречали два офицера милиции, они были немно-

25

гословны, уважительны, но, судя по их виду, — утомлены чрезвычайно. Меня проводили до гостиницы «Свердловск» («Hotel» — стояло на краю крыши. Высший класс! Видимо, в этом городе, навсегда закрытом для иностранцев, все жители говорили исключительно по-английски!), убедились, что с номером все в порядке, и ушли.

Я остался один. Было сонно, устало, почти безразлично. «Утром позвоню начальнику Политотдела УВД, — подумал я, — а там и видно станет...» Я приготовился ко сну — разобрал постель, умылся с дороги. Но спать вдруг расхотелось. Рассвет забирал свое, по небу разлилось золото, прозрачный воздух за окном жестко обрисовывал высокую церковную колокольню. Она, словно черная стрела, пронзала утреннее небо. Я стоял в недоумении. И вдруг подумал: это... там. Там.

Что «там»? Я не формулировал. Мне этого не нужно было. Ноги сами несли вниз по лестнице — марш за маршем (лифт не работал — зачем в гостинице пролетарского города лифт — ночью? За что боролись?), я вновь оказался в вестибюле; у выхода дремал на стуле швейцар в галунах и ... кепке. Заметив меня, он бодро поднялся:

— Куда?

— На улицу. Мне нужно.

— Ничего не знаю, — взгляд у него стеклянный. — Идите к себе и нечего тут ходить. Не положено.

— Вы... видели — с кем я сюда пришел? — попытался я его образумить.

— Ну? С милицией. Да мне-то что? Милиция — там. А здесь свой порядок. Вы идите. Мне выспаться надо.

Я решился на последнее — показал удостоверение: «МВД СССР».

Он сдался.

— Ходите, ходите... Я, может, тоже служил. В милиции. А порядок — он и есть...

Я уже был на улице. Она криво устремлялась в нужную мне сторону. Высверкивая, изгибались трамвайные рельсы; домики — утлые, деревянные, они еще п о м н и л и. Так мне показалось. Я не задумывался о том, ч т о они помнили. Ну... Помнили. И всё.

Убыстряя и убыстряя шаг, двинулся я по «проспекту им. Карла Либкнехта». «Любят у нас иностранных революционеров, — подумал. — Наверное, потому, что не успели или не смогли расстрелять всех. Этого вот убили не здесь. Его сами немцы убили. Ну, да Бог с ним...» И вот — площадь. И та самая, из окна увиденная, колокольня. Напротив группа металлических молодых людей и девушек со знаменем. Это комсомольцы Урала. Некогда они радостно вышли строить и месть. На другой стороне улицы приземистый дом с двумя ризолитами и полуподвальным этажом (он виден слева и уходит по переулку вниз). Я слышал это название: «Дом Ипатьева». Но я никогда не видел фотографий. Я ничего об этом доме (сто строк в Комсомолке — не в счет) не читал. «Двадцать три ступени вниз» Марка Касвинова — беспрецедентный дефицит. Эти два журнала «Звезда» достать невозможно. В общем — я ничего не знаю.

Но я чувствую. Ощущаю. Это — здесь. Э т о...

Со стороны переулка — еще одна дверь. Сводчатое окно замуровано. Прямо от стены дома начинается забор. Слава Богу, доски в этом заборе качаются, их можно отодвинуть. Я вижу за почерневшими досками старые корявые стволы деревьев, я догадываюсь — непостижимо и странно, — что о н и гуляли под этими деревьями. Гуляли, прохаживались, охрана, наверное, сидела на травке и скучала, ожидая с нетерпением окончания барских затей. Чего гулять-то?

Отодвигаю доску. Вот он, сад. Старые умирающие деревья шумят протяжно, таинственно и печально. Или грустно. Скорее — так. О тех, кто гулял некогда под их листвой, деревья уже не помнят. А вот собственный затянувшийся век... Он ведь утомляет. Несомненно. И грусть — от того.

Темно поблескивают окна второго этажа. Стены грязны, штукатурка обсыпалась. Здесь всё так, как было когда-то. Вы же все видели, стены? А вы, окна? Сквозь ваши стекла смотрели человеческие глаза. Они готовились принять смерть. Они приняли ее. Расскажите, а?

...Подошел невзрачно одетый человек, нестарый еще. Плохо выбрит, за несколько шагов разит спиртным.

— Смотрите?

Молча киваю. Что ему нужно...

— Плохо было здесь... — роняет он.

Привязался, черт бы его взял.

— Кому?

— Нам... — произносит тихо. — Нам...

Еще и сумасшедший. Только этого и не хватало.

— Идемте...

28

Он впереди меня. Косогор булыжный. Бабы в платочках на другой стороне улицы движутся к храму. Памятника нет. У высокого сплошного забора из горбыля прохаживается часовой с длиннющей трехлинейкой. Часовенка появилась откуда-то...

Мой спутник подходит к воротам, створки распахиваются, часовые от караула — мордатые, белобрысые, с винтовками — нас почему-то не видят. Но все настоящее, материальное, непрозрачное. Трогаю рукой стену — камень, все реально. Я что же — в 1918-ом? Не бывает. Не может быть.

— Идемте... — он направляется к дверям в боковой стене. Оглядывается. Теперь я замечаю — он похож, очень похож на кого-то, давнего-давнего, не виденного много-много лет...

— Николай... Второй? — давлюсь и вдруг понимаю, что я ведь не из Уралсовета, не из охраны, не из Кремля. — Ваше... Величество? — всплывают в памяти слова из романа. — Это... вы?

— Я хочу показать вам... — он ведет головой в сторону надписи на побелке, и я читаю, не веря глазам своим: «Прошу ехал из ярмарки х... ли говорить заехал в деревню дай ка по покурить». Лихо, однако... А пониже — чем-то острым: «Саря рускаго николу за х... сдернули спристолу».

Лицо у него грустное и перегара больше нет. Это Царь.

Снова читаю: «У Гриши Распутина х... 8 вершков он как на ето х... посадит Шуру она засмиется». И снова: «шура дура шура блять гришке на х... сядь».

— А это — главное... — ведет рукой Государь.

«Да здравствует всемирная революция Долой Международный Империализм и капитал и к черту всю монархию».

— Зачем... это?

Он пожимает плечами:

— Зачем... написали? Или зачем вам... читать?

— Мне читать.

Он снова пожимает плечами. Молчит. В глазах пустота.

— А... увидеть... ваших близких... Я могу?

Он смеется. Перегар валит с ног.

— Бли-изких? Да ох..л, парень!

И уходит, покачиваясь. Что-то поет дурным голосом.

Мне не повезло...

...Разыгралось воображение. Марево. Фантазии. Сон и сны. Это все — лишнее. Это недостоверно. Это морок, обман.

Мне нужна точность. Мне нужна правда. Вот, наконец произнесено. Как учили некогда в школе: группа слов образовала законченную мысль.

Как лестница скрипит. Как тяжелы шаги...

Наверное, так и было. Скрипела под последними шагами последних Государей России. СССР ведь тогда еще не было?

...Возвращаюсь в гостиницу. Hotel Sverdlovsk. Это было, было и прошло. Все прошло, и вьюгой замело. Оттого так грустно и светло...

Лучше Александра Николаевича Вертинского не скажешь. Он — поэт. Его слова наиболее

30

точны и выразительны. Он начал петь тогда, когда Россия уже умирала. Он чувствовал это.

И я тоже — чувствую. Я вдруг понимаю, что за э т о придется ответить. Мне. Всем остальным. Всем без исключения. Никто не уклонится. Никто.

Сны — кошмары; утром поднимаюсь от стука в дверь, голова разламывается, то был не сон — пытка. Веселые лица начальника Политотдела Свердловского УВД, сопровождающих.

— Я взял с собою фотографа из НТО[1], вы же наверняка захотите поснимать? — полковник теребит меня. — Поехали. Утром лучше, не привлечем внимания — у нас не поощряются посещения этого дома...

— Почему?

Разговариваем на ходу, одеваюсь, как некогда в Гороховецком армейском лагере — в студенческие годы.

— Потому что у некоторых появляются сомнения. Зря, мол, убили семейство и самого. А уж челядь... Вы-то как считаете?

Поднимаю глаза. Он спрашивает очень искренне, без подвоха. Отвечаю столь же искренне:

— Зря. Это... преступление было. Нет?

— Ну... так уж... — теряется он. — А вообще-то... Ладно, поехали, здесь рядом.

— Я был. Ночью.

Он не скрывает удивления, но тут же находит объяснение:

— Впрочем, конечно. Вы ведь — писатель, сценарист, вам воображение требуется.

---

[1]Научно-технический отдел Управления Внутренних дел (*Примеч. авт.*)

Выходим из машины. Встречает милая девушка, она, как выясняется, заведует Центром переподготовки учителей. Оный как раз и располагается в «бывшем Ипатьева».

В первое мгновение я воспринимаю вывеску как нечто само собою разумеющееся. Потом словно натыкаюсь лбом на стену: как? В этом нечеловеческом доме — сеют разумное, доброе, вечное? Как можно говорить в этих стенах о воспитании детей, о вечных истинах, о возвышенном? Здесь пролилась кровь, без воздаяния, эта кровь вопиет, и тот, кто вышел отсюда со свидетельством о повысившейся квалификации, — он ведь невольно обрушит на своих учеников классовую ненависть, злобу, зависть — все то, что некогда подвигло миллионы людей на самую жутковатую — по последствиям — революцию в истории человечества.

Ну что ж... Комическое подчас переходит в трагическое и проявляется самым невероятным образом...

— К нам многие ходят, но не всех пускаем. Во-первых, не велят, во-вторых — эксцессы, — и, уловив в моих глазах недоумение, заведующая продолжает: — Недавно один профессор из Ленинграда уволок балясину от лестницы. Я ему говорю: лестница-то ведь перестроена! А он своё: сувенир. Глупости все это. Вы не согласны?

— Не знаю.

И вот — комнаты, коридоры, полы, потолки — все подлинное, всё то самое, с памятью. Входим в зал. Слева камин. Кажется, и какое-то подобие той, прежней люстры раскачивается

32

под потолком. Только вот мебели нет. Ее выпросил известнейший виолончелист. Он давал концерт в филармонии, мебель якобы стояла в кабинете директора, оный же не посмел знаменитости отказать.

— Умер, бедняга, в больнице военной...

Да нет же, нет... Никто не поет, я ничего не слышу. Это много позже: я буду снимать фильм о гибели Романовых, и замечательный артист и режиссер, Геннадий Глаголев, он на одно лицо с Государем — споет эту песню. Не здесь. Дома этого уже не будет. Борис Николаевич Ельцин, выполняя приказ Москвы, прикажет — в свою очередь — особняк взорвать. Гена будет петь в декорации.

Нет. Он будет молчать. Петь за кадром будет Дольский. Ах, как он будет петь этот романс-песенку поэта «К.-Р.»...

Спускаемся в подвал. Путь — прежний. Те же изгибы коридора, те же двери, ручки (позже я сравню с планом, и все подтвердится) — я с трудом передвигаю ноги и вот...

«Я хотел постоять на том месте, где упали Романовы», — голос Щелокова в ушах. Вот оно, это место. Своды, цементный пол, замурованное окно справа, какая-то рухлядь по углам.

— Перегородка, деревянная, стояла здесь, — начальник Политотдела показывает. — Теперь ее нет. Здесь они и... — он разводит руками. Лица у всех странные. Не то ошеломленные немного, не то испуганные чуть-чуть.

— Площадь у дома Ипатьева раньше называлась «Народной мести». До войны здесь музей был, революционеры всех стран любили фотографироваться у ... стенки.

— А вы знаете — почему сюда не пускают? — вступает в разговор заведующая. — Цветы кладут на замурованное окно! Представьте!

— Ну, это басни... — морщится полковник.

— Тогда почему снова не открыть музей? — спрашиваю я.

— Потому что... Потому, — мрачнеет начполитотдела.

— Потому что наши музеи — либо гордость, либо опровержение, — говорю я. — А... куда делась эта... перегородка?

Полковник хмурится:

— Точно не знаю... Мне говорили, что она теперь — в Англии.

— В Англии? — я не верил своим ушам. — Но ведь она здесь была, в музее...

Он пожимает плечами. Объяснения нет. Оно появится позже, когда я узнаю о том, куда исчезли царские драгоценности. Советская власть распродавала направо и налево серебро, золото, драгоценные камни и живопись. Арманду Хаммеру, например, другу Ленина. И сонму других, желающих. Я вполне допускаю: какому-то извращенцу с деньгами понадобился «сувенир». Всё продается. Продали и стену, у которой упали Романовы. Мы кузнецы и дух наш молод...

...На улице, у автомобиля, я прошу главного воспитателя свердловской милиции познакомить меня с каким-нибудь серьезным, знающим краеведом.

— Понял. Хотите узнать подробности. Есть такой. Завтра и отведу.

Я долго смотрю на противоположную сторону переулка. Там — дом. Длинный, приземистый, одноэтажный. Мрачный дом...

Перехватив мой взгляд, полковник говорит:

— Это — дом Попова. В нем жила охрана дома Особого назначения, Ипатьева, то есть... Сюда Юровский увел царского поваренка, пожалел мальчика... А остальных... — он машет рукой.

Они уезжают. Я стою перед домом неведомого мне Попова. Этого Попова давным давно нет на свете. И вообще никого нет. Отчего же так стучит сердце? Отчего болит ...

И вдруг я понимаю, что прикоснулся, дотронулся до чего-то очень и очень страшного, невозможного, непонятного.

В своей служебной жизни я видел множество трупов. С пулевыми отверстиями, кровью от ударов ножом или топором. Это было обыкновенно, обыденно. Ничего такого.

Э т и х трупов я не видел никогда.

В чем же дело?

Я не понимал.

Поутру — после завтрака в «отеле Свердловск» (тефтели со слипшейся вермишелью, полухолодный чай подозрительного цвета) — отправляюсь на встречу с краеведом. Мой гид ждет меня у дома Ипатьева, отсюда идем пешком — воскресенье, автомобилей не положено, партия объявила «строжайшую экономию» во всем. В УВД мне рассказывали, что нет бензина на самые необходимые выезды, иногда даже и на происшествие.

Господи... Как давно написал Булгаков: сначала они поют революционные песни, а потом у них замерзают водопроводные трубы. Роман «Собачье сердце» я прочитал в самиздатовской перепечатке — на листках папиросной бумаги, блекло-синим, умирающим шрифтом. Прочитал и подумал: ну и что? Проходит день и возвращается снова; произносится речь и забывается. И снова кто-то повторяет знакомые слова. Все как во сне. Проснись профессор Преображенский поутру 1978 года, он бы наверняка сказал: «Ба, знакомые всё лица. Они снова экономят на лекарствах и бензине, но слова просыпают тоннами; они по-прежнему в речах, но не в делах».

...Несколько улиц, по случаю выходного дня они пусты, и вот — двор, непримечательный, грязный, с полузасохшими деревьями. Дом пяти- или шестиэтажный, выкрашен желтой краской, лестница в меру грязная, лифта нет. Поднимаемся, кажется, на предпоследний этаж. Дверь справа, мой комиссар звонит, и я вижу на пороге человека средних лет с живым выразительным лицом и внимательным взглядом глубоко посаженных глаз. «Красивый парень... — отмечаю про себя. — Наверное, дамы в его присутствии готовы на все и сразу». Может быть, я плохо подумал о дамах? Или слишком — о том, кто стоял передо мной? Не знаю... Жизнь есть жизнь. В ней всякое бывает.

Проходим, разговор не клеется, начальник Политотдела смотрит на часы: «Ну, ладно... Вы тут поговорите, а у меня — дела». И уходит. Теперь легче.

— Что вас, собственно, интересует в нашем крае? — он насторожен, слегка напряжен (позже выяснится, что виной этому мой милицейский «орден». Этот знак сохранил все атрибуты и форму прежнего, НКВД. Я понимаю, что у людей мыслящих он положительных эмоций не вызывает).

— Меня интересуют Романовы и все, что с ними связано.

Мой новый знакомый, кандидат наук, геофизик, коллекционер, тут же приносит и дарит мне открытку 20-х годов с видом дома Ипатьева.

— Возьмите. У меня есть еще. Эти открытки у нас когда-то выпускали в большом количестве...

Решаю сказать обо всем прямо. Не в КГБ же обращаться за помощью. Не в партийный же архив...

Ночью в моей нездоровой голове сформировалась небывалая идея: а что, если ... попытаться отыскать останки расстрелянной семьи (пишу с «маленькой» буквы потому, что тогда это слово у меня не начиналось с «большой»). В конце концов, люди хоронили, и это означает, что другим людям вовсе не заказано отыскать.

Почему это пришло мне в голову?

В ту ночь я менее всего размышлял о покаянии, ответственности и прочих гражданских, общественных и религиозных категориях. Мне казалось, что в Бога я верую. Моя няня как-то сказала мне, что окрестила меня, разумеется — втайне от родителей, такое ей не простили бы. Но я никогда не заходил в храм — разве что из чистого любопытства или по делу — в прежние годы. Не был у исповеди, причастия.

Все это шло далеко в стороне, где-то, без меня.

В 1969 году «Мосфильм» снимал нечто приключенческое по моему сценарию. Съемки проходили в Костроме, они были связаны с «церковной контрреволюцией» в годы гражданской войны. По необходимости я бывал в церквах, выстаивал службы. Я искренне хотел понять.

К тому же я влюбился. Невероятно, мгновенно, безрассудно. Для обращения к Богу подобное эмоциональное состояние — самая благая почва.

С тех пор это осталось во мне.

...В эту странную ночь я думал о другом: судьба подарила мне совершенно невероятную возможность. Когда-то Шлиман решил отыскать Трою, посвятил этому поиску жизнь и нашел.

И я, я тоже найду. Во всяком случае, я сделаю все, что смогу.

...Мальчишеские то были размышления, несерьезные. «Белые искали по горячим следам (я по-школьному полагал, что искали отнюдь не двоюродные братья большевиков, сибирские социалисты, а именно «белые») и не нашли. А я, а мы — мы найдем, хотя прошло шестьдесят с лишним лет.» И в самом деле мальчишество... Только годы спустя начал я понимать, к чему прикоснулся Промыслом Божьим...

... — Попробуем отыскать секретное захоронение Романовых?

Александр Николаевич Авдонин смотрит на меня с недоумением. Мне кажется, что сейчас он произнесет самые подходящие к такому случаю слова: «Вы... это серьезно?» Но он произносит нечто совсем другое:

— Это вряд ли реально. Они, насколько я себе представляю, захоронены в районе Уралмаша, а там... Там давно стоят цеха, железные дороги проложены и вообще — чепуха это. Их никто и никогда не найдет.

— Но попробовать-то можно? Мы же ничего не теряем?

— Вы — может быть. За вас вступятся. А я... Нет. Это и вообще опасно.

— Никто не вступится ни за меня, ни за вас. Да, эта затея — рискованна. Но ведь мы не собираемся выступать в прессе, афишировать?

Он молчит, но я вижу и чувствую, что странная моя мысль его задела. Наконец он поднимает глаза.

— Ладно... Вы там, в Москве — тем более, что у вас там и сам Щелоков есть... Попробуйте отыскать документы, факты. У нас тут Касвинов есть... Двадцать три ступени. Читали?

— Нет.

— Ну вот, почитайте. Есть еще Павел Быков. У вас есть?

— Нет.

— Да, — усмехается. — Это сегодня не продается в книжных магазинах. Уходит и тут же возвращается со свернутой в рулон фотопленкой. Это — пересъемка с книги «Последние дни Романовых». Изучите. Я, конечно, изучил, интересно, но... — разводит руками: — Применительно к тому, о чем говорите вы, — боюсь, что и он, Быков, нам не помощник. Ладно. Тогда жду ваших сообщений.

В Москве прошу МВД разыскать Леру Теплову. Почему-то мне кажется, что ее фотографии помогут. Если, конечно, сохранились. А может быть, мне просто хочется увидеть ее? Ведь столько лет прошло. Двадцать три года. Все миновало. Молодость прошла. Да разве в этом дело...

Адрес в кармане, телефон — тоже, звоню, она удивлена, но, кажется, рада. Еду (сейчас, выстукивая эти строчки, я мучительно — стертое словечко, но другого не находится — пытаюсь вспомнить — где же она, Лера, жила тогда, в 1976-ом? Увы. Не помню. Разве что дом — в каком-то новом районе Москвы и сам по себе — новый. Лифт, какой-то этаж...).

— Ну, здравствуй? — она все такая же — маленькая, тоненькая, с огромными глазами, я сразу же обращаю внимание на тщательно исполненный макияж. Н-да... Никогда не задумывался, но, наверное, и от меня, тогдашнего, мало что осталось. Прежнего. Юного.

Вхожу, радостно-невинно целуемся, появляется дочь — красивая девочка... Девушка? Она сухо здоровается и уходит.

— Муж умер... — произносит Лера грустно.

Господи, как давно это было...

Мы приехали в Ленинград, кажется, на одном поезде. Лера познакомила меня с мамой, сестрой. Их дом был неподалеку от Лавры, на старом Невском. Здесь и возник (по телефону) некий полковник тридцати лет, лысый (кто же мне сказал об этом?), он заканчивал какую-то ленинградскую академию и самым серьезным образом собирался жениться. На Лере. А она ждала, выжидала — а вдруг я что-нибудь скажу ей? Очень важное. Единственно возможное. Увы...

Но я ужасно ревновал:

— Он же старик! (Как глупы мы все, если нам только двадцать...)

— Он любит меня. Пойдем, погуляем?

...И вот — взрослая дочь, генерал умер, все развалилось...

И я опять ничего не сказал. Это уже не нужно было. Это ушло.

...Лера подарила мне фотографии — с улыбкой, радостно, она так хотела сделать что-нибудь доброе для меня.

И мы расстались. Боюсь, теперь уже навсегда.

Фотографии воскресили прошлое. Но не помогли. Я попросил Щелокова написать письмо директору библиотеки имени Ленина. Я хотел попасть в Спецхран.

Спецхран...

Мечта фрондирующей интеллигенции, увы, не всегда эту мечту осуществлявшей. Партия знала, что делала, и еще лучше знала — как надо делать, чтобы триста миллионов рабов навсегда остались в неведении по поводу своего рабского состояния.

Все было устроено весьма профессионально и точно. Вскоре после крушения прежнего режима и окончания гражданской войны Ленин решил закрепить в головах трудящихся нужную правду о событиях. Публиковались мемуары белых вождей, деятелей царского режима в эмиграции, участников войны с той, белой стороны.

Позже, когда всё неизбежно покрылось дымкой времени и действительность по нарастающей переставала дарить цветы и улыбки, сочли за благо все вышеперечисленное убрать с глаз долой в специальное хранилище, предназначенное только для науки истории. Как бы. Потому что были в спецхране вещи, не доступные никому. Разве что — ГБ.

Потом к означенной литературе стали присоединять западные русские газеты — эмигрантские, разного рода исследовательские труды, писанину собственных, советских авторов, содержание которой могло повредить строю ввиду изменения политической обстановки. Сюда свозили конфискат, сюда специальные сотрудники советских посольств присылали все, что так или иначе касалось родной страны.

В спецхран свободно пускали западников. Они и так все знали. Советских же...

Требовалось специальное письмо. С указанием тематики и проблематики. Спецхран следил, чтобы «исследователь» не делал ни шагу вправо или влево.

Простой пример: в спецхране за «двумя шестиугольниками Главлита»[1] (это нечто вроде «совершенно секретно») хранились комплекты журнала РОВСа (эмигрантской военной организации) «Часовой», в которой публиковался процесс советских шпионов — генерала Скоблина и певицы Надежды Плевицкой. Оба помогли советской контрразведке уничтожить главу РОВСа генерала Кутепова и сменившего его на посту генерала Миллера. Конечно, читать

---

[1] Главное управление по охране государственных тайн в печати, проще — цензура. (*Примеч. авт.*)

об этой акции ОГПУ — НКВД не положено никому...

А ведь было время, когда «Дёжка» певала Императорской Семье, когда плакали слушавшие ее и благодарно целовали ей руки...

Французский суд приговорил ее к каторге. В 1940 году немцы вошли во Францию, захватили каторжную тюрьму, в которой содержали Надежду Васильевну. В яркий солнечный день ее вывели во двор, привязали к двум танкам и разорвали.

Служить советской госбезопасности всегда было небезопасно...

...Министр откликнулся мгновенно. Похоже было — он догадывался, что именно я собираюсь искать. Не знаю...

И вот — библиотека, я второй раз в жизни в этом огромном вестибюле. А Спецхран... О, он расположен таинственно и странно, он скрыт от посторонних глаз, отойдите, профаны, только посвященные входят сюда...

Какие-то скрипучие лестницы, повороты и коридоры и вот — в створе двойная стеклянная дверь без таблички (сильны традиции ГПУ, они никогда не умрут в России, потому что Россия в с е г д а будет охранять свою тайну от всего остального мира. Всегда!).

Вхожу, милая дама за столиком, вокруг — читающая научная публика, тишина и порядок. Называю себя.

— Да, мы получили письмо, есть резолюция директора, мы все понимаем, вероятно, МВД интересует что-то очень важное? У нас часто бывают из КГБ, а вот от вас...

Знала бы ты...

Очеркиваю круг своих интересов. Говорю нарочито сухо — не дай Бог, заметит волнение (какой я все же идиот...).

— Это связано с первым, начальным периодом работы милиции, — объясняю. «Рожденная революцией», психологически это застит свет, допытываться она не станет.

Она и не допытывается. И вот — день за днем, месяц за месяцем я погружаюсь в прошлое своей Родины. В то прошлое, о котором доселе не знал ни-че-го...

Десятки и десятки книг. Документы, опубликованные письма, мемуары. Мне попадается редчайший экземпляр сборника стихов поэта Бехтеева — «Песни русской скорби и слез». Свои стихи он посылал Царственным узникам в Тобольск, в обыкновенных конвертах, почтой, иногда — оказией, среди этих ясно и внятно написанных стихотворений есть два знаменитых. Первое теперь широко известно: «Пошли нам, Господи, терпенье...» Второе — некое переложение письма Ольги Николаевны: «Отец всем просит передать, Не нужно плакать и роптать. Дни скорби посланы для всех за наш великий, общий грех...» Как просто и как верно... Может быть, впервые в жизни осознаю: я ведь тоже причастен. К этому греху. Преступлению. Вспоминаю из Евангелия: где нет закона — там нет и преступления. Все дозволено. Порфирий Петрович и Раскольников это сто лет назад понимали. А мы и сегодня не понимаем. И никогда...

Я погружаюсь в жуть (лучше Есенина не скажешь). Наша Партия и наше Правительство «работают расстрелами». Жестокость ВЧК —

ГПУ и далее — безмерна и немотивирована. Всеобщая паранойя. Народ спятил. Вчерашних соратников (они, правда, такие же убийцы, как и все прочие) убивают тысячами. Деревни окружают пулеметными расчетами и — всех, всех подряд... Надобно ставить колхозы.

Я стараюсь быть кратким. Все давно известно. Парадокс лишь в том, что ничего, ровным счетом ничего не изменилось, только формы иные и методы наивно открытые, гласные, только ужас от этого крепнет и становится вязким, как засыхающая кровь...

И вдруг заурядная мысль приходит мне в голову: это все не просто так. Ничего не бывает просто так. После октября 17-го одно поколение убийц и растлителей сменяет другое. Народ безмолвствует. И значит — р а з д е л я е т. И значит — о т в е ч а е т. Мы все отвечаем. И пусть Господь помилует нас всех.

В голове моей невнятная каша — без соли, сахара, перца. Я ошеломлен, подавлен, я не был готов к встрече с П р а в д о й. Я ее не знал, я даже догадаться не мог...

Гудит голова, гудит, ловлю себя на поганой мыслишке, что мне уже никогда не выбраться из той помойной ямы, в которую я себя из любопытства загнал.

Но ведь не... праздное это любопытство? Тот, кто понял, — тот другим стал, разве не так? Тот может просить Бога о прощении...

Лето 1977 года. Я снова в Свердловске. Саша встречает меня, я вижу: он рад, что я сдержал слово, вернулся, что-то узнал.

Нет, Спецхран мне пока ничем не помог.

Мне кажется — вот-вот вполне реально поможет другое. Я перелистывал томик Маяковского и — перст Судьбы! Наткнулся на стихотворение «Император». Это не просто стишок с политическим оттенком. Мне показалось, что место захоронения Царя и Его Семьи, людей поэт указывает точно!

Я пишу все эти слова с Заглавной буквы. Теперь я отношусь к Ним как Их подданный, не сумевший (или не пожелавший — по многим и разным причинам) остановить преступление.

В 1927 году, в годовщину Великого Октября, Маяковский предпринял поездку по Союзу и среди прочих городов попал в Свердловск. И попросил показать место секретного захоронения. Предисполкома Парамонов отвез поэта на Коптяковскую дорогу.

> *За Исетью, где шахты и кручи,*
> *За Исетью, где ветер свистел,*
> *Приумолк исполкомовский кучер*
> *И встал на девятой версте.*

Я не использую «лесенку» Маяковского. Здесь это незачем.

Саша пожимает плечами:

— «Здесь кедр топором перетроган, Зарубки под корень коры, У кедра, под корнем, дорога, А в ней император зарыт»? Это ерунда. В нашей тайге кедр не растет.

И все. Тупик. Поэтический образ и реальные действия палачей — увы, не одно и то же.

Но я настаиваю — по-мальчишески глупо, нервно, мне кажется, что мы держим свое открытие, как лисицу, за хвост. Саша смотрит осуждающе: «Здесь с налета не возьмешь...» Но соглашается, и мы отправляемся «по местам событий!»

Поезд привозит на станцию (тогда это был разъезд) Шувакиш. Выходим на коптяковскую дорогу. Часами ходим по тайге. Много выработок, ям («закопушки» — называет их Саша), в каком-то месте обнаруживаем могучие пни от старых сосен. Может быть, именно здесь и начиналось Урочище четырех братьев?

Может быть. Мы яростно копаем под толстыми соснами (а вдруг Маяковский превратил реальную сосну или ель в «кедр»?) Лопаты ударяют в стальные переплетения корней. Глупость все это. Лично моя.

— Пойми, так ничего не найти, — увещевает Саша. — Реппер нужен.

Я не знаю этого слова, и он объясняет, как школьный учитель:

— Это геологоразведочное понятие. Точка отсчета. Пока ее не будет — нечего и время терять.

Понуро возвращаемся в город, понуро сидим за бутылкой водки. В гости к Саше приходит его старинный приятель, пожилой человек, коллекционер монет и прочего. Когда-то он был метранпажем местной газеты. А еще раньше — учился в реальном училище.

— А вы были здесь, в городе, когда сюда вошла Сибирская армия?

— А то... Нас — реалистов и гимназистов — власти отвезли на Чувакиш (произносит по-местному, диалектно), приказали развернуться в цепь и искать.

— И что же?

47

— Развернулись, пошли. Кто-то нашел платочек с инициалами Татьяны Николаевны. Больше ничего. Не-е... Искать их бесполезно. Юровский прятал. Он знал, что делал. И умел. Никто не найдет. Никогда.

Я огорчен и подавлен. В самом деле: большевики того времени обладали интуитивной, каторжной и ссыльной, профессией, они не хуже жандармов и Охранных отделений ориентировались в розыскном деле, конспирации. Ни черта мы не найдем. Прав старик...

— Вы попробуйте поговорить с Риммой, — вдруг произносит бывший газетчик. — Ну — с Юровской.

У меня такое ощущение, что ожили покойники и они среди нас.

— Ю... Юровская? — переспрашиваю. — А... разве они все не... умерли?

— Зачем же... — усмехается. — Младший, Евгений, у них, кажется, и вправду умер, а вот она и другой брат, Александр, живы. Каждый год Римма здесь бывает — на собрании старых большевиков. Она «сидела», Юровский Сталину писал — у вас, мол, непорядок в органах, невинный человек в лагере томится. Сталин не ответил. Понять можно. Все же — дочка... Не ответил.

Еще бы...

И мы расстаемся с Сашей до будущего года. Дай Бог, отыскать Римму Юровскую. Дай Бог.

Но верится с трудом.

В поезде я все еще ощущаю прелый запах леса, сырость и вечную тишину. Это странно — ведь колеса стучат, стучат...

Штаб МВД. Дежурный связывается с Ленинградом. Через пять минут адрес Риммы Яковлевны Юровской у меня в кармане. Прощай, Москва.

В Ленинграде грустно. Давно уже нет моей милой девочки, первая любовь замужем, она далеко-далеко. Улицы прежние и слова еще помнятся, только зачем...

Римма Яковлевна живет на проспекте Стачек, это и сейчас окраина — далекая, не имеющая к Санкт-Петербургу ни малейшего отношения. Дом типовой, таких много понастроили в тридцатые годы для рабочих, искренне полагая, что быт должен быть непременно социалистическим и никаким иным. Скромный дом, скромная, достаточно чистая лестница и квартира — отдельная, но тесная и шумная, много родственников. Римма Яковлевна большая, басовитая, непререкаемая, слегка насмешливая:

— Царь? А зачем вам царь? Ну решило руководство, поручили отцу, он исполнил. Все.

— А... подробности?

— Хм... А зачем вам? Что изменится от этих подробностей? Был Кровавый царь, нет Кровавого царя. Впрочем, вы же... из кино. Да. Понимаю. Я позвоню брату. Он сумасшедший, давно помешался на этом расстреле, интересуется, все об этом самом собирает. Он вам полезнее меня будет.

Она сидела в лагере, долго. Освободилась лет двадцать назад, но по-прежнему преисполнена веры в идеалы, светлое завтра и прочее. Ее приглашают на съезды ВЛКСМ, она в Президиумах, ничего не изменилось. Ничего...

Наверное, я несправедлив к ней. Сидели десятки миллионов. Выжили миллионы. Едва ли наберется миллион, который все понял, переосмыслил, стал другим. «Партия наш рулевой!» — это навсегда. Может быть, это оттого, что они все, подобно мне, не читали завалы Спецхрана?

Вряд ли... Даже если бы и прочитали — сочли свидетельства ложью, поклепом, напраслиной. Эта массовая убежденность есть тот самый камень преткновения, который однажды вновь станет во главу угла.

Еще при Горбачеве проходили выборы, кажется — в Верховный совет, я был доверенным лицом главного редактора «Юности» поэта Андрея Дементьева, в связи с кампанией мне много приходилось выступать. На одном из таких выступлений я, поддерживая кандидатуру Андрея Дмитриевича, рассказал о кровавом пути «нашей партии» (она была еще у власти, любимая), о кошмаре, совершившемся в доме Ипатьева, и о том, что гнусное прозвище Государя — «Кровавый» — есть грязный вымысел коммунистов. Я привел доказательства. Первое: за расстрел 9 января на Дворцовой площади нес ответственность командующий войсками Петербургского военного округа Великий князь Владимир Александрович. И убито было совсем не 5000 человек, как всегда и во всех учебниках настаивали ангажированные историки, а 188. Это ничуть не меньшая трагедия, ибо и один человек есть мир Божий, и тем не менее...

Известнейший писатель, узник концлагерей, уважаемый человек — мыслящий и умный, резво вскочил со своего места в президиуме, взмахнул по-женски руками и задыхающимся голосом выкрикнул: «Да он сошел с ума!» Я, то есть. «Да что такое какой-то там Николашка! Разве в нем дело! Да он все равно сто раз кровавый и не о нем сейчас нужно говорить!»

Сила привычки — самая страшная сила, это еще великий Ленин некогда произнес. Если мыслящий человек — таков, чего же мы ожидаем от бабушек и дедушек и туповатого журналиста, за которым эти бабуси ходят табуном, как цыплята за курицей? Они дружно поют «Каховку» и уверены, что революцию и советскую власть погубили евреи. Парадокс...

Но гораздо серьезнее другое. Мой фильм «Конь белый» — о трагедии адмирала Колчака, его гражданской жены Анны Тимиревой, о гибели России, Императорской Семьи — мы с женой показали нашим приятелям. Их старший сын служит в Системе, он майор, ему тридцать лет, он окончил Высшую школу КГБ. Шел 1995 год...

Что сказал товарищ майор, когда закончились последние титры?

Тимирева сидела в концлагере тридцать шесть лет? Но ведь она — жена врага народа, разве может быть по-другому? Всё правильно.

Колчак? Он этот самый враг.

На выборах майор голосовал за коммунистов.

Сколько же таких майоров в ФСБ? В ФАПСИ? В ГРУ? В Генеральном штабе? Во всех структурах и подразделениях власти?

Рискну предположить, что в связи с данным вопросом строка из А. Блока абсолютна: их тьмы, и тьмы, и тьмы. Попробуйте, сразитесь с ними. Они тихо — до поры, как мышки в норке, сидят за своими письменными и прочими атрибутами и ждут...

Горе всем, когда и если они дождутся.

Майор сказал: не было репрессий. Это ложь врагов. Покарали только тех, кто выступал против власти.

Если эти молодые люди дорвутся до власти — Россия расцветет. Особенно ярким цветом. Свежепролитой крови...

Не попусти, Господи...

...Римма Яковлевна звонит, завтра меня примут, мы прощаемся. Мимолетная встреча, я многое понял, она осталась «при своих».

Поутру отправляюсь на Охту. Я бывал здесь раньше — на кладбище. Старых могил очень мало, из новых-старых самая заметная та, в которой погребен художник. Когда-то он первым нарисовал Ленина. Как счастлив он, и как поглупел я: не понимаю — почему он был так счастлив.

Набережная, дом послевоенной постройки. В памяти мало что осталось — разве что хлам, доски, битый кирпич и грязь вселенская.

Адмирал в отставке Александр Яковлевич Юровский встречает меня доброжелательно-настороженно:

— Рябов? «Рожденная революцией»? Римма звонила мне, я согласился встретиться, но, собственно, что вам угодно?

— Что было... после расстрела?

Вглядывается. Должно быть, решает — стоит ли начинать такой разговор. Такой...

Однако решается, зачитывает показания

свидетелей — это из Соколова, из книги «Убийство царской семьи», я все это уже знаю. Но слушаю внимательно, даже на диктофон (с разрешения хозяина) записываю (эта пленка до сих пор у меня). Все ближе, ближе...

Наконец он произносит:

— Отец написал... для историка Покровского то, что было и... как было. Копии этого документа я раздал по музеям. Революции, Дзержинского — там, где начиналась ВЧК. Вот, одну копию даю вам. Я прочитаю.

У меня бегут по спине... Нет, не мурашки. Топает стадо слонов. «Около четырех с половиной утра 19-го машина застряла окончательно, оставалось, не доезжая шахт (Юровский имеет в виду дальние шахты, на Московском тракте, в которых он решил утопить трупы — Г.Р.), хоронить и жечь.» И далее: «Трупы сложили в яму, облив лица и вообще все тела серной кислотой, как для неузнаваемости, так и для того, чтобы предотвратить смрад от разложения (яма была не глубока). Забросав землей и хворостом, сверху наложили шпалы и несколько раз проехали — следов ямы и здесь не осталось. Секрет был сохранен вполне — этого места погребения белые не нашли».

Двумя строчками выше приведенного пассажа Юровский сообщает, что машина с трупами пересекла линию железной дороги.

Показания сторожа переезда №184 Якова Лобухина (в книге Н.А.Соколова они помещены на стр. 202) я помнил наизусть: «Там в логу у них автомобиль застрял. Кто-то из них взял из нашей ограды шпал и набросал там мостик».

...И сквозь пелену, сквозь туман и глухоту,

сквозь... психоз какой-то — как еще назвать? — вижу я черно-белую фотографию, наклеенную в моем «романовском» альбоме: поле, лес на краю, куст посередине и железная дорога — мы с Сашей только что перешли через нее — за этим леском. Неужели — захоронение здесь, на этом поле, в этом, точнее? Голова идет кругом...

У Юровского глуховатый среднего тембра голос, но я уже не слышу — о чем он... Я слышу вдруг, как он говорит... Нет, сказал — при встрече, улыбнувшись грустно: «Трудно быть... Юровским.»

Это правда. Это — не дай Бог. Я понимаю.

Но — мостик, мостик из шпал...

Он ведь где-то под ногами был. Мы ходили по нему! Как некогда Соколов — пусть теперь этот мостик и ушел под землю!

Этот мостик следователь Соколов сфотографировал, он помещен в книге под номером 76 с надписью: «Мостик, набросанный большевиками на коптяковской дороге, где застрял грузовой автомобиль, доставивший трупы царской семьи к руднику».

Я — профессионал. Меня, смею думать, чему-то научили, недостатки обучения я восполнил практикой. Но я уверен: окажись на моем месте воспитательница детского сада — она бы поняла всё это точно так же, как и я!

Теоретически место открылось неопровержимо!

Оставалось только проверить это.

Люди, далекие от следствия и розыскной работы, часто задают «убийственный» — с их точки зрения — вопрос: «Соколов — он какой был! Он такой был! А не нашел. А вот Рябов — взял и нашел! Так не бывает».

Я присутствовал на февральской, 1998 года, пресс-конференции, созванной по случаю решения Госкомиссии. Я ответил на тот самый, сакраментальный вопрос. Все рассказал во всех подробностях. После окончания ко мне подошел непримиримый журналист.

— А вот объясните: как это так — Соколов... Это навсегда...

Хотя на самом деле объяснение лежит на поверхности.

Все дело в том — на мой взгляд — что Соколов был человеком Серебряного века. Какие стихи звучали... Какая музыка... Какая культура сформировалась в начале столетия!

Да, кого-то вешали. Расстреливали. Подавляли. Подвергали цензуре. Но это было похоже на все последующее не более, нежели простой насморк на СПИД. Человек Серебряного века мыслил иными категориями. Он полагал, что род человеческий иногда нарушает законы, не более того.

Он ничего не знал и не догадывался даже о рвах с трупами, чудовищных крематориях, ГУЛАГах и колючей проволоке концлагерей. Он и помыслить не мог, что о прекрасном с высоких трибун говорят только для того, чтобы утвердить и воплотить пытки, казни, тюрьмы и смерть.

Он умер бы в одночасье, если бы ему сказал кто-нибудь, что Юровский бросит голых покойников в дорогу.

А Юровский бросил. Он был надежнейшим коммунистом и посланцем из Светлого Будущего.

Просто все...

Я обо всем написал Саше, в Свердловск. «Записку Юровского» я не решился доверить бумаге. Сколь бы ни преувеличивали мы величавую мудрость нашей госбезопасности — она бдела. Кто оспорит это...

Через некоторое время Саша ответил: «Мы нашли все, что нужно». Особенно понравилось ему описание мест событий, данное Дитерихсом в его дублирующей Соколова книге «Убийство царской семьи и членов дома Романовых на Урале». Михаил Константинович и вправду очень подробно и красочно описал эти места...

Но главное было впереди.

...В поезде «Лениград — Москва» я мысленно возвращался к разговору с Александром Яковлевичем. У него было первое английское издание книги Роберта Вилтона, корреспондента газеты «Таймс» — Вилтон присутствовал при раскопках Соколова в Урочище четырех братьев, многое видел, многое знал. Юровский с обидой переводил мне те места из книги, где автор с непримиримым пафосом писал о «кровавых деяниях гнусных еврейских убийц». Всё это тяжело было отставному адмиралу. Он с обидой говорил о подозрениях в адрес Юровского-старшего в связи с драгоценностями Царской Семьи — Якова Юровского прямо обвиняли в том, что многое он присвоил. Мы, естественно, уже никогда не узнаем — что произошло на самом деле. Документы и рассказы очевидцев свидетельствуют, что исполнитель акции все ценности — в том числе и те, что расстрельная команда пыталась снять с трупов, — отослал в Москву, Свердлову. Что сталось с этими вещами?

Должен заметить, что когда я впервые прочитал в записке Юровского о попытке грабежа трупов — я внутренне... ахнул? Оборвался? Не знаю... Пустые всё слова... Эти рабочие парни были малограмотны, они душой и сердцем поддерживали большевиков, потому что верили: те принесут им «новую светлую жизнь», и при всем при том ребята знали цену бриллиантам и золоту и попытались сделать то, что русский и всякий иной человек делает всю свою жизнь: берет то, что плохо лежит.

И восемьдесят лет ничего не изменили, сегодня берут чужое еще круче, нежели тогда, да и власть не чужда...

Вроде бы — людская.

Щелоков обратился к директору Гохрана, и мы с А.П. Нагорным пошли.

Гохран — это современное здание из стекла и бетона, оно расположено в конце Кутузовского проспекта, за Бородинской панорамой. Мы приехали в назначенный час, нас уже ожидал специально выделенный сотрудник. Мы вошли в вестибюль.

То, что последовало далее, ошеломило. И я и А.П. Нагорный бывали на Лубянке достаточно часто — мы ведь делали фильмы и о чекистах, и о пограничниках. Система пропуска в здание КГБ адекватно строга. Но здесь...

— Встаньте на коврик! — приказал вахтер — сержант Внутренних войск.

— Я — консультант Щелокова! — гордо произнес Нагорный и протянул удостоверение.

Сержант молча начал изучать удостоверения, потом текст разового пропуска (его вручил сотрудник Гохрана), потом фотографию в удостоверении и физиономию моего соавтора. Длилось это долго, очень долго. Нагорный к такому не привык и начал закипать:

— Вы, сержант, что себе здесь позволяете?! Вы что, не видите?

— Успокойтесь, Алексей Петрович... — попытался урезонить Нагорного сотрудник. — Это общий, одинаковый для всех порядок!

Но Алексей Петрович потребовал вызвать караульного начальника:

— Ваш сержант не умеет себя вести!

Капитан едва заметно улыбнулся:

— Этот порядок установил министр финансов. А наш — утвердил. Мы ведь особое подразделение, вы просто поймите...

Наконец Нагорный оказался по ту сторону невидимой линии, и на коврик встал я. Все повторилось.

Но каково же было мое удивление, когда на коврик встал... встречающий нас сотрудник и терпеливо вынес ту же самую процедуру.

Через пятнадцать минут мы все — во главе с начальником Гохрана (директором) отправились на экскурсию по зданию и... несколько раз все, без исключений, постояли на очередных ковриках. Нагорный понял, что никто не стремился его обидеть, и успокоился.

...Вертя в пальцах письмо Щелокова, директор — лысый, лет пятидесяти, спрашивал — с едва уловимой капризной ноткой в голосе:

— Ну? Что же просит у нас Щелоков?

Все советские начальники того времени ощущали себя во главе угла, это поветрие такое было. Я — микробрежнев и никак не меньше.

— Нам бы хотелось посмотреть на драгоценности, некогда изъятые у Николая II и его семьи, — говорю я.

Директор смотрит на меня холодно-внимательно:

— Я — пятый директор Гохрана. Четверо предыдущих — расстреляны.

Дав нам время на то, чтобы насладиться изумительной новостью, он продолжает:

— Никаких сведений о вещах, у нас хранящихся, — у нас нет. Возможно — когда-то были. А сейчас мы и сами можем только догадываться... Идемте. Я проведу вас по территории.

Интересная экскурсия. В мое время простые смертные никогда не видели столько алмазов сразу. И столько согбенных женщин в белых халатах — над ними. Это сегодня — норма. А тогда... Тогда шел 1979 год.

— Сейчас мы нанесем вам чувствительный укол, — говорит директор холодным голосом. — Идемте.

Спускаемся куда-то, охрана, проверка, и мы — в музее Гохрана.

Мешки (самые обыкновенные, из-под сахара) доверху наполненные золотой, платиновой, серебряной монетой. Изделия из драгоценных камней, золота. В одной из витрин я вижу карманные золотые часы, на крышке — бриллиантовый двуглавый орел. Я понимаю: оттуда. Из дома Ипатьева. Из подвала. Видимые ценности сняли с трупов сразу же после расстрела. Эти — Государя, чьи же еще...

— А... брошь со стокаратным бриллиантом?

Директор и сопровождающие недоуменно переглядываются:

— У нас такого никогда не было! — искренне восклицает директор. — Если бы и был — ему место в Алмазном фонде! Но там его тоже нет и никогда не было!

Я ему верю. Уральские чекисты отправили изъятое в Москву. А у Москвы... От забот полон рот. Весь мир, все ошметки разных стран и народов жаждут «братской» помощи. Жаждут и получают. Красное знамя труда над миром стоит огромных денег...

...А квартира и обстановка Александра Юровского были явно не «бриллиантовые», это я свидетельствую. Бедная, если и вообще не нищая была обстановка. Продавленный диван, самодельные книжные полки и прочее — под стать.

У меня возникло убеждение: да, Яков Юровский палач. Ленинец. Но он не вор.

Летом 1978 года мы с Александром Николаевичем прошли весь маршрут Екатеринбург — Коптяки. Много фотографировали. Мы вышли на Ганину яму — это небольшое, высохшее уже (осушенное некогда Соколовым при поисках тел) озерцо в тайге. Мы уже знали, что по этим местам ездили грузовики Соколовской команды. Мы нашли следы этих грузовиков — глубокие, заросшие колеи. Между правой колеей и левой то и дело попадались старые уже деревья. Они выросли когда-то и остались нетронутые на своих местах. Это было удивительно, это казалось тревожным сном — я все время ловил себя на совершенно невозможной, мистической мысли, ощущении, точнее: вот, сейчас, загудит мотор и появится из-за поворота грузовик с солдатами и рабочими Соколова.

По краям Ганиной ямы виднелись остатки шлангов, вдоль дна шел нетронутый частокол — шегень, на откосе валялось бревно, выдолбленная старательская промывочная колода — точь-в-точь такая же была запечатлена на одном из снимков в книге Соколова. Мы прикоснулись к истории не фигурально — буквально...

Потом мы пришли к Открытой шахте, основному месту соколовских разработок. Шахту Саша нашел по указанию Дитерихса. Здесь тоже ожидало нас нечто ошеломляющее.

Цела была бревенчатая обкладка, которую поставили рабочие Верхне-Исетского завода, — те, что помогали Соколову.

Их было четыреста человек, верхне-исетских рабочих парней — самых обыкновенных, простых, отнюдь не монархистов убежденных. Соколов обратился к ним, попросил помочь, и они откликнулись, потому что всегда отыщется среди русского народа хоть четыреста человек, для которых боль и несчастье их Государя — собственная боль и собственное горе. Не одна только сволочь, слава Богу, жила на Урале...

Когда мы начали копать на участке, оставшемся нетронутым (Соколов не успел его обработать), сразу же пошли находки: обгоревшие куски голенищ от сапог; пуговицы от белья; золоченая пуговица с орлом, обгоревшая очень сильно (ее нашел Влад Песоцкий, слушатель Военно-политической академии имени Ленина.

Он горячо и бескорыстно помогал нам во всем. Главным же — после Александра Николаевича — помощником был Геннадий Петрович Васильев, геолог из Нижнего Тагила. В нашей команде он оказался по рекомендации Александра Николаевича. Человек очень достойный, очень надежный и очень честный. Таковым в моей памяти и остался). Обрабатывать площадку мы не закончили — трудно было с транспортом, к тому же в одну из поездок нас остановил на пустой коптяковской дороге капитан милиции в хорошо сшитой форме и вежливо попросил предъявить документы, столь же вежливо осведомился — куда и зачем мы едем.

Я предъявил свое удостоверение.

— Раскройте, — попросил капитан.

Так милиция никогда не работала. Капитан был чрезмерно вежлив, немногословен...

«Это госбезопасность... — подумал я. — Моя активная деятельность в УВД Свердловска не осталась незамеченной. Мне давали карты, планы, справки, показали даже альбом с фотографиями драгоценностей Семьи, изъятых некогда по Тобольскому делу (альбом остался в УВД, оперативное дело — в КГБ, это произошло после раздела в 1954 году общего МВД вновь на МВД и КГБ[1]). Значит, — думал я, —

---

[1] В апреле 1918 года в Тобольске камердинер Государя, Терентий Иванович Чемодуров, передал монахине местного монастыря Рахили (Марфа Андреевна Ужинцева — в миру) ценности Семьи — до возвращения прежней власти, на хранение. Испугавшись ответственности, Ужинцева передала ценности В.М. Корнилову, рыбопромышленнику (у него было несколько лодок и сетей) — Корнилова в монастыре знали. В 1933 году Ужинцева была арестована полномочным представителем ОГПУ по Уралу и дала показания об этих ценностях. В ценах 1933 года было изъято золота и камней на сумму 3 270 693 рубля. В двух бадейках и двух стеклянных банках хранились: бриллиантовая

кто-то из работников Управления сообщил обо мне, моих интересах «товарищам по оружию», «старшим братьям». Мог бы и раньше догадаться. Третье управление госбезопасности работало и в МВД...»

«Звонок» был тревожный. «У меня жена работает в Высшей партшколе!» — забеспокоился Саша. У его беспокойства были вполне реальные основания. Нас бы не пощадили — если что...

Решили отложить поиск еще на год, до следующей весны. Саша взял на себя «инструментальную» подготовку и повторное обследование местности. По осени я получил от него письмо. Саша писал, что привлек к работе своего приятеля, Михаила Качурова, геолога-полевика. Качуров не знал — что ищет Саша на самом деле и зачем. Саша сказал ему следующее: нужно обнаружить шпалы. Они на дороге Екатеринбург—Коптяки, где-то в логу.

Этот лог мы идентифицировали несколько раньше, летом. Сделали фотографии. И Царс-

---

брошь — 100 карат, бриллиантовый полумесяц — пять бриллиантов — 70 карат; головные шпильки — один бриллиант 44 карата, два — по 36 карат; пять диадем с бриллиантами; орден Андрея Первозванного с бриллиантами; булавки, колье, приколки — бриллиантовые; звезды орденские — св. Екатерины и Андрея Первозванного с бриллиантами; портрет Елизаветы Английской — в бриллиантово-жемчужном обрамлении; колье; брошь бриллиантовая с огромным бериллом. Для тех, кто не очень себе представляет, бриллиант в 100 карат, скажу: когда я рассказал об этом камне руководству руководству Алмазного фонда, в Кремле, на выставке, у ребят брови полезли под потолок, интеллигентные люди потеряли дар речи, один сказал: «Чепуха. На витрине самый большой не ограненный алмаз — «Шах», подарок Персидского владыки, откупной, за гибель Грибоедова, растерзанного толпой фанатиков, всего восемьдесят семь. А сто... Мы бы о нем знали» (1 карат — 0,2 грамма. Бриллианты, продающиеся в настоящее время в ювелирных магазинах, редко превышают 2-3 карата — *прим. Ред.)*

кая «могила» была отчетливо видна на наших снимках, очень отчетливо. Реппер, куст — он явственно все обозначил. Я даже надпись сделал: «Могила где-то здесь!»

...Саша и Михаил прошли весь маршрут. В логу («Поросенков лог» — так он назывался) Михаил Кочуров — «ловкий, как кошка», это слова Саши — влез на сосну и крикнул сверху: «Я вижу шпалы!». Так было обнаружено место захоронения Романовых. Пока, конечно, только предположительно. Убедиться в реальности этой находки мы смогли только весной 1979 года.

Я и Влад Песоцкий (он прекрасно владел фотоаппаратом) — мы тщательно готовились к предстоящей работе. Об опасности не думали — она отступила на второй план. Запаслись цветной фотопленкой, Влад проверил в деле фотоаппарат — фотографии получились на славу! В конце апреля мы отправились в город Свердловск.

...На этот раз УВД устроило нас в гостинице «Большой Урал» — в стороне от проспекта Ленина, неподалеку от театра. Самое сильное впечатление: памятник Председателю ВЦИК. Я впервые всмотрелся, вдумался в сие творение. Свердлов спешит. По делам партии, конечно. И по делам России. Учитель свердловских рабочих, их отец, спешит ужасно, и от этого такое впечатление, что личный друг Ильича вот-вот упадет традиционно русским способом: лицом вниз. Скульптору Харламову удалось самым непостижимым образом соединить монументальное основание (уменьшенную копию «Медного всадника») с измельченно-ничтожным портретом одного из самых безликих, серых, теневых деятелей ленинского окружения.

Следующим ранним утром начинается самое главное. С первой электричкой отправляемся на Шувакиш. Едем порознь, стараемся не привлекать внимания. УКГБ оставило нас в покое. Наверное, капитан доложил, что мы «просто так». Ничего не знаем. Бродим — неизвестно зачем. В конце концов, уровень идеологической опасности определялся весьма невнятно: «группа любопытных ходит невдалеке и рядом с "объектом"». Но чтобы сделать такой вывод, КГБ надобно было знать, где этот объект, где это захоронение.

Они этого не знали. И усилий — чтобы узнать — не предпринимали. Конечно, захоти они...

Им бы это не составило труда.

В чем тут дело было? Голову ломаю до сих пор...

Возможна и такая версия: они ждали. Пока мы найдем. (Если найдем). Через девять лет эта версия получила стопроцентное обоснование. Тогда же, я думаю, они пришли к выводу, что найти «могилу» невозможно. Точных данных, позволяющих сделать оперативно-грамотный вывод, у них не было. Почему? Да просто всё...

Что им мог сообщить «источник» в УВД? Чепуху.

Кинодраматург, автор многосерийного фильма о милиции интересуется пребыванием

Романовых в Свердловске. Ему показали выше-упомянутый альбом. Свели с местным краеве-дом. Уверен, что они не удосужились пригла-сить Сашу и задать вопрос: о чем это вы там с Рябовым, а?

Мелочь это всё была с их высокой точки зре-ния, не более того. В городе «болтали лиш-нее». Оборонные предприятия, опять же. Ино-странные разведки. А какой-то там Рябов...

Я ведь не капитан третьего ранга Саблин.

Наивный, трогательный был человек... Объяснил матросам и офицерам своего корабля, что Брежнев — маразматик, что страна валится в пропасть. Сообща решили идти в Ле-нинград, встать около Авроры и дать радио: отечество в опасности!

Старцы со Старой площади усмотрели в дей-ствиях Саблина не искренний сдвиг по фазе, а покушение на святая святых: броненосца в по-темках. При развитом социализме новые декаб-ристы, конечно же, были никому не нужны. Где-нибудь в Англии такого офицера Королев-ского флота всё равно помиловали бы и отправи-ли — до времени — в сумасшедший дом.

Не то у нас...

К стенке!

Бог с ними...

...Но мы конспирируем. По предложению Саши (он и экипировку достал), мы все в поле-вой форме советских геологов. И «оборудова-ние» — вполне: лопаты, заточенная труба, ку-валда...

Если что (наивно думаем мы, и я не проти-воречу. Пусть. Если так — легче) — мы геоло-ги, берем «пробы» грунта, породы. С нами заместитель начальника Нижне-Тагильской геологоразведочной партии Геннадий Петрович Васильев. Все в порядке. Помнится, Васильев даже «документ» с печатью (настоящей) изготовил.

Н-да... Попались бы — лихо бы нам стало.

Но мы не попались. И вот ведь странность какая: работали с утра и до вечера, два дня подряд, была суббота, а за ней и воскресенье настало (если не путаю?), вокруг нас перекрикивались грибники, а мы...

Копали, забивали кувалдой трубу в землю, и не обращали ни на что ни малейшего внимания. Словно нас охранял кто-то...

Мистика.

Мы, по совету Саши и Гены, стали заколачивать остро заточенную трубу через каждые полтора-два метра, приближаясь и приближаясь к настилу из шпал. Этот настил мы обнаружили под двадцатисантиметровым слоем скопившейся за пятьдесят лет почвы...

Такие трубы забивают в предполагаемое место с искомой породой все геологи (если, конечно, их не снабдили специальным оборудованием. Но это вряд ли. СССР — страна бедная оборудованием и богатая песнями производственного содержания).

Бьем, бьем, бьем. Но вот Саша выколотил очередную «колбаску». Она не такая, как все предыдущие. Она иссине-черного цвета и масляниста на ощупь.

— Это оно! — вырывается у меня. — Это следы воздействия на органику серной кислоты! Они здесь, здесь!

Саша и Гена хмыкают что-то неразборчивое. Нормальному человеку трудно поверить, что все происходящее отнюдь не театр абсурда.

Мы решаем приехать сюда на следующий день.

Утро, трясет электричка, все слегка возбуждены. Еще бы... То ли дождик, то ли...

Меня поразил Влад Песоцкий. Он вышел из своего номера зевающий, умиротворенный, вот у него-то и тени беспокойства не было! У военных крепкие нервы...

Выходим в Поросенков лог. Тишина. Прозрачный утренний воздух словно умыл траву и деревья, все так благостно, так прекрасно. И вот — началось.

Поднимаем шпалы на квадрате три на три метра (примерно, конечно). И яростно начинаем копать. «А ведь грунт — не материковый, тронутый... — тихо произносит Саша. — Здесь кто-то когда-то основательно потрудился...» Лица у всех сосредоточенные, напряженные, по мере того, как углубляется яма — напряжение растет. Мимо проходит какая-то женщина. Бросив в нашу сторону равнодушный взгляд, она удаляется. И нам тоже совершенно все равно. Сейчас мы недоступны человекам. Это не осознанная гордыня — в тот миг. Это неосознанная убежденность. Это — Промысел...

Земля, она постепенно темнеет, и вдруг крик:

— Смотрите! Железяка какая-то!

Это Влад замер около находки с лопатой в руке. Подхожу ближе. Мне все понятно с одного взгляда.

— Это... тазовая кость... — произношу, с трудом проглатывая слова.

Все замерли. Отчетливо слышны спазмы в

горле и ниже горла у одной из сопровождавших нас дам. Я умышленно их не называю. Мы не общаемся очень давно, разрешения обнародовать имена у меня нет, рассказ этих женщин не добавит ровным счетом ничего — в том случае, если бы ныне ведущий дело следователь Генпрокуратуры Владимир Николаевич Соловьев захотел бы их допросить.

Спазмы разрешаются рвотой. Лица у всех будто мукой присыпаны. Игрушки окончены, суровая проза неправового советского государства вступает в свои права.

Конечно, с точки зрения закона, мы ничегошеньки не нарушаем. Позже многие обвинят нас (меня и Сашу — особенно) в том, что мы, «не получив разрешения у соответствующих органов», раскопали «могилу», а это по закону наказуемо, это — надругательство.

Вряд ли...

Когда ленинцы: Юровский, Голощекин, Ермаков и Войков (и прочие) стыдливо прятали от глаз человеческих обезображенные тела убиенных — вот это было действительно надругательством. Но ведь у большевиков это понятие сильно трансформировалось. Они считали, видимо, что совершают святое дело... правосудия? Так, наверное?

«Могилой» закон называет специально сооруженное для погребения, огороженное, обозначенное место, к тому же еще и на кладбище.

Конечно, возможны и исключения. Например — курган, под которым «лежит матрос-партизан Железняк». Если оный враг Учредительного собрания в самом деле там лежит — тем, кто захочет его выкопать, — тем придется иметь дело с законом.

И то сомневаюсь. Курган этот на картах и планах не обозначен. И Железняк (на самом деле) лежит на Ваганьковском кладбище в Москве.

Да-а... Все по Блаженному Августину: мгновение назад мы были законопослушные советские люди (это — прошлое), сейчас мы — с точки зрения Лубянки — враги пролетарского (кажется, уже общенародного?) государства. Это тягостный миг незримой линии между прошлым и будущим.

Что-то нас ожидает в этом будущем?

— Свертываемся и уходим! Немедленно! — хрипло кричит...

Пусть имя останется в прошлом, которого уже нет. Читатель невнимательный и скоропалительный может, пожалуй, в благом киселе сегодняшней неразберихи и сплошного тумана принять этот выкрик за ... трусость? Кто знает... Не хочу подвергать этого совсем не труса позднему легкомысленному осуждению. Время такое было. Многие пожилые люди сегодня делают вид, что оно было прекрасным! Колбаса из промакашки, милые сердцу очереди...

Нет. Оно было страшным. КГБ охотился не за шпионами (это ему и всегда не по уму было). Он охотился за инакомыслящими, несогласными, он искоренял тех, кто при виде огромных портретов, навсегда установленных на всех широких улицах, кривился, плевался, ругался матом.

Мы все испугались. Кто-то обнаружил испуг непосредственно, по-детски немного. Кто-то холодел внутри. Некогда у Анны Андреевны Ахматовой грудь холодела от предчувствия любви. Позже она стала холодеть у большинства народа — от щита и меча на рукаве...

...Но мы не свертываемся и не уходим. Мы работаем дальше.

Появились первые кости. Они черно-зеленые, мы догадываемся, что это давние следы воздействия серной кислоты, которую истребовал из аптек города Екатеринбурга товарищ Войков.

Извлекаем три черепа. Они сильно разрушены — по лицам били прикладами, помните «Записку Юровского»? «... обезобразив трупы до неузнаваемости серной кислотой...» Товарищ Юровский не решился сообщить историку М.Н. Покровскому о том, что «обезображивали» не только кислотой, но и яростными ударами прикладов.

Мы это увидели воочию.

На одном черепе — пулевое входное отверстие. Оно расположено на затылке, слева. Выходное отверстие — большое, рваное — на правом виске. Пуля крупнокалиберная, не менее 9 мм, это очевидно...

Один из черепов похож на детский.

Большой, мощный череп с золотым мостом на нижней челюсти слева под моим давлением (очень хочется, свет застит!) мы «определяем», как принадлежащий Николаю II. Более всего говорят в «пользу» такого вывода золотой мост, и вообще — очень плохие зубы, это видно, что называется, невооруженным глазом! Государь всегда мучился зубами. В Тобольске он часто сидел в кресле дантистки госпожи Рендль, лечился и у других стоматологов. Идея навязчива, типическая идефикс! Раз золото — значит Царь. Ошибка обнаружится много позже...

Между тем время идет, опасность возрастает. Первая женщина прошла мимо нас безразлично.

Если кто-нибудь пройдет сейчас...

Мы торопимся.

Скелет «Николая Второго» мы заворачиваем в целлофан и закапываем на краю лога; в «могилу» опускаем специально изготовленную капсулу с письмом потомкам (мы все пронизаны молодежной устремленностью ЦК ВЛКСМ! Седовласые комсомольцы опускают подобные капсулы по любому случаю. Сильны традиции). Но мы преследуем и вполне разумную цель: если основное захоронение волею КГБ СССР исчезнет — останется хотя бы это...

Решаем: череп «Николая II» до времени оставит у себя Саша. Два других (один явно женский, зубы мудрости еще не вышли на поверхность, это девушка и значит — одна из дочерей. Второй — вроде бы принадлежит мальчику. Ну конечно же, — это Алексей Николаевич! Увы, детский сад, не более того...) я заберу с собою в Москву, там я непременно «выйду» на своих бывших товарищей из МВД СССР (к Министру я обратиться не рискну, и, может быть, это моя принципиальная ошибка. Кто знает... Прикоснись Н.А. Щелоков к этим черепам — может быть, он стал бы нашим сторонником? Квалифицированно помог бы нам? Например, предварительной экспертизой? Еще чем-то? Увы, мы этого уже никогда не узнаем...) и постараюсь организовать хоть какую-нибудь экспертизу.

Закапываем яму. Поздневесенняя вода (она мешала нам работать) сразу же закрывает раскоп. Но мы нервничаем — мало ли что...

Всю ночь дома у Саши пьем водку, поминаем, не чокаясь, убиенных членов Семьи, поем «белогвардейские» песни и... «Боже, Царя храни!» Слов мы почти не знаем, мелодию беспощадно врем — во второй ее части есть сложный для людей неподготовленных переход...

Утром я беру такси, объясняю таксисту, что потерял в лесу — во время сбора грибов — часы, и мы едем к Логу. Он останавливается на краю (там есть дорога), я отправляюсь «искать часы».

Подхожу к раскопу. Странно как... Я не вижу земли, не вижу! За ночь — всего за одну ночь (в это трудно поверить!) поднялась высокая, сантиметров 10—15, трава и скрыла следы нашей работы! В голове проносится: «Господь нас хранит... Нет. Не нас. Их...»

Еще один день. Он проходит во всеобщем отупении и расслабленности. Договариваемся с Сашей: по осени я приеду и мы попытаемся отыскать два тела, которые Юровский сжег неподалеку от основной ямы, зарыв оставшееся прямо под костром...

Мы не сомневаемся в том, что Юровский рассказал правду. Во-первых — мы нашли захоронение. Во-вторых — Юровский ведь не газетную «дезу» сочинил — для одурачивания собственных и заграничных граждан. Он продиктовал Покровскому свой доклад для истории, правительства — буде оно поинтересуется. В Записке нет вспомогательных, украшающих подробностей, выпячивания собственной роли, попытки принизить в ответственном деле роль своих товарищей. Чего стоит, к примеру, беспощадное описание стаи коршунов, которая бросилась на трупы неподалеку от Открытой шахты с тем, чтобы завладеть драгоценностями. Это беспощадная правда, предназначенная только для «своих». Это «правда по-ленински», без утайки. Ведь Юровский воспринимал Ильича отнюдь не палачом, интриганом, Ришелье XX века! Юровский не знал, как планировал Ленин политические акции на территории Польши, например. Ленин был «самый человечный человек», он сам говорил правду и других учил.

А ведь Ильич полагал нормальным и правильным отправить в Польшу отряд красноармейцев, вся и всех там вырезать и всё выжечь, а потом «свалить на бандитов»!

Впрочем, написав эти строки, я подумал, что Юровский — знай он о подобных устремлениях вождя — только бы поаплодировал ему лишний раз! Выгодно рабочему классу — вперед!

Если следователь В.Н. Соловьев сочтет необходимым подвергнуть «записки» Юровского (их две) психологическо-логической экспертизе — весь мир убедится в достоверности обоих вариантов.

Фомы же неверующие — продукт побочный. Он в любом историческом деле присутствует неизбежно и ничего не опровергает.

...Ночью вспоминаю траву из ниоткуда и еще что-то, непостижимое, таинственное. Я стоял у куста — за долгие годы он необъятно разросся над местом их предпоследнего упокоения (ведь должно быть и последнее, должно!) — и смотрел на опушку леса, что окаймлял лог, и казалось мне (а может быть, было наяву), что я вижу медленно скрывающиеся в чаще человеческие фигуры. Первым идет... Государь?

Должно быть, помстилось.

Генерал Князев (начальник УВД) дал черную «Волгу» с радиотелефоном. До города, в который я собираюсь отправиться, 170 километров. Нижний Тагил, гнездо Демидовых. Едем быстро, погода хорошая. Но вот в створе совершенно пустого шоссе показалось дымное многоцветье — вся радуга: это Нижнетагильский металлургический комбинат. Воздух в городе совсем не курортный...

. И сразу — летне-весенний дождик, асфальт становится мокрым и блестящим и...

Человек. Он возник на краю проезжей части, словно фантом. Из воздуха. Долю секунды он стоит неподвижно и вдруг начинает переходить шоссе.

А мы... Мы уже так близко и скорость так высока, что не остается ничего другого, как вывернуть руль резко влево. Водитель так и делает. Но «Волга» уже не слушается. Скорость высока... Юзом скользит она к левому краю дороги и...

Переваливается с гребня и летит вниз.

Шофер смотрит широко раскрытыми глазами. Он успевает сказать: «Простите меня». Я считаю перевороты: один, второй, третий...

Перестаю считать. Надвигается сумрак.

Краем сознания ощущаю: это финиш. Всё. Земной свой путь пройдя до...

«Волга» плюхается на крышу. Мои колени вжаты в мое лицо. У живота — саквояж с двумя черепами. Треск, грохот и тишина. Гудки на шоссе. Забавно смотреть из положения небывалого, немыслимого, как спускаются по откосу вверх ногами какие-то люди. Они что-то кричат. Стекла вылетели. У шофера тоненькая струйка крови стекает вверх по щеке. Шофер жив. Я — тоже. На мне и вообще ни одной царапины — вот ведь чудо!

Позже моя приятельница из прокуратуры скажет с трепетом в голосе: «Это Они спасли тебя!» Я не знал, что и думать...

В Москве Влад Песоцкий просит своего товарища — офицера, слушателя академии им. Ленина — проявить отснятые пленки. Не все. Ямы, черепов там нет. Все это происходит через месяц-два после событий, но, когда я рассматриваю хорошо сделанные цветные фотографии, мне кажется... Нет. Я уверен: не со мною это было. Все слишком неправдоподобно. Фантастично.

Звоню товарищу по прежней работе. Он служит в министерстве и по профилю своей работы может организовать экспертизу. Ее подобие, точнее. Как бы «для себя». Для уверенности.

Встречаемся на улице. Он вертит фотографии в пальцах, молча слушает мой сжатый рассказ. Смотрит светло-серыми глазами.

— Представим себе... — начинает неторопливо, — я согласился. И обратился к судебным медикам, в соответствующую лабораторию. У меня там есть почти приятели, но... не близкие друзья. Что я объясню? Какую легенду предложу? Ты ее, надеюсь, уже сочинил?

Я молчу. Я вдруг понимаю, что я — идиот. И разумный человек на мое идиотское предложение может отреагировать только так: деликатно, но твердо.

— В МВД работает Комитет... Или забыл? Попадемся — и амба. А во имя чего? Ты, может, и стал монархистом. А я — как был член партии, так и есть. Я ничего не видел и не слышал. Ты ко мне не обращался.

Фиаско.

Этот человек давно умер. Но я не называю его, так как знаю: он убеждений своих не изменил до последнего часа, ему неприятно было бы, если бы даже за гробом обнаружилась некоторая его «неверность» устоям.

Я снимаю клочки волос с черепов (фрагменты, сколь ни странно, остались). Упаковываю герметично между двух стекол. У меня есть образчик почвы из глубины «могилы», это, по существу, прах Романовых и их людей. С полянки у Открытой шахты у меня есть кусочки голенищ от сгоревших сапог, несколько разных перламутровых пуговичек от нательного белья и золоченая, обгоревшая пуговица с орлом. Я не знаю — кому они принадлежали, но разве это имеет значение? Все это я укладываю в Дарохранительницу. Наклеиваю на оборотную сторону крышки вертикальную цветную фотографию «могилы» и текст, он отпечатан на машинке. Этот текст всё объясняет. Теперь, мне кажется, эти находки-реликвии можно хранить до времени. В этот момент я совсем не думаю о том, когда оно наступит, это время, и наступит ли...

Но вот становится ясно, что хранить черепа у себя дома далее и неэтично, и опасно. Пишу Саше, он согласен. Договариваемся о том, что в 1980 году (через год) все вернем на место. Нужно только (мне, в Москве) найти специальный пластический материал, с помощью которого можно будет снять с трех черепов слепки. Гипс Саша «берет на себя», обещает отыскать его в Свердловске.

На поиски пластика уходит много времени. Наконец через каких-то знакомых «выхожу» на скульпторов в бывшем монастыре на набережной Москвы-реки. Они с некоторым удивлением снабжают меня несколькими пакетами этого материала.

Дома у меня хранится православный восьмиконечный медный крест с «Предстоящими». Я привез этот крест из давней киношной командировки в Кострому. Штихилем я вырезаю на обороте креста слова из Евангелия от Матфея: «Претерпевший до конца спасется». Резать я не умею и, чтобы невзначай не повредить надпись, — сокращаю ее до минимума. Этот крест мы опустим в землю при возвращении взятого. Нельзя не вернуть — эта мысль крепнет с каждой минутой.

У меня нет никаких сомнений: мы нашли Останки Царской Семьи. Иногда я просыпаюсь ночью и выхожу на балкон. Тишина, только изредка проносятся по Ленинскому проспекту запоздалые автомобили. Белые огни фар, красные — задних фонарей. Когда машин вдруг становится много — зрелище начинает завораживать.

...И странные мысли приходят мне в голову. Они? Ну, конечно же, вне всяких сомнений. Однако некогда меня учили: докажи невиновность преступника и, если он на самом деле виновен, доказательства обретут гранитную незыблемость.

Эту точку зрения мало кто разделяет — из числа тех, кто борется с преступным миром. Любой ценой доказать, что виновен — вот и все. Просто и ясно, и никаких затей.

Но сейчас случай неординарный. Если мы заблуждаемся, если круг прямых и косвенных доказательств — только наше услужливое воображение, — ничего, кроме мороки и чего-то гораздо худшего, из этой истории не выйдет.

И я начинаю рассуждать от «обратного». Ну допустим: Юровский пишет (рассказывает Покровскому) о том, что приказ об уничтожении Романовых пришел из Москвы и поступил дальним кружным путем — из Перми. Это похоже на правду. Идет война, телеграф работает плохо.

И вот, сразу: Юровский дезинформирует. Никакого приказа из Москвы не было. Это Уралсовет решил разделаться с Романовыми, и Юровский совершенно не собирался такому решению противостоять. Решили — и решили. А мы — исполним.

Ладно. Здесь особой ясности нет. Переписка Уралсовета с Москвой напоминает скользкую рыбу в мокрых руках: кто хочет обвинить Москву — обвинит без малейших сомнений. Кто хочет ее, Москву, выгородить — выгородит.

Значит — убили. Неважно — по чьему приказу. Факт все равно факт.

Что было дальше?

Юровский и его сотоварищи, отдельные, по преступной акции, — они все в один голос утверждают: убили. Отвезли в Лог. Облили кислотой и закопали в дороге.

Кто это опровергает, внося смуту и дробя убежденность?

Николай Алексеевич Соколов. Он утверждает: убиенных отвезли в район Открытой шахты, разрубили на куски и сожгли. Их больше никто и никуда не возил.

Довод очень серьезный. Блестящий следователь и честнейший человек — он вне всяких подозрений. Ему лгать незачем. Он пишет о том, в чем убежден!

Какие доводы у Н.А. Соколова?

Некие остатки обгорелых костей, с к о р е е всего — похожих на человеческие (прямо Соколов об этом не пишет), следователь обнаружил в большевистских кострах у Открытой шахты. Там же лежали иконки, на некоторых Соколов нашел следы ударов рубящим орудием. И сделал вывод: трупы рубили прямо в одежде, на куски, потом сжигали.

Уверенность в правоте Соколова в связи с этими данными не может быть абсолютной, неопровержимой.

Почему?

Во-первых, обгорелые кости Соколов экспертизе не подверг, не успел, а без экспертизы любой юрист-криминалист может рассматривать доводы в пользу данной версии только как п р е д п о л о ж е н и е следователя — не более того!

Во-вторых, удары рубящего орудия по иконкам — это, на мой взгляд, нечто совсем другое.

На трупах Великих княжон, Императрицы, и может быть, Демидовой были д р а г о ц е н н о с т и. Весьма серьезные, весьма качественные. В скорбную дорогу с собой берут с а м о е ц е н н о е, а не что попало. Десятикаратный бриллиант, который нашел в костре у Открытой шахты капитан Шереметьевский (сиделец деревни Коптяки), свидетельствует об этом непреложно!

Да и вообще: какие могут быть сомнения в том, что драгоценности на телах убиенных были? Об этом есть прямые показания Александры Теглевой, няни детей: «... драгоценности были зашиты между двумя лифчиками».

Нюанс: прежде, чем опустить тела в шахту, и х р а з д е л и д о г о л а.

Перед палачами лежала куча одежды.

Я не могу себе представить, что убийцы, словно профессиональные сыщики, ощупали все части одежды и осторожно достали все, что в ней было!

Не могу. И этому моему недоверию есть объяснение. Первое: шайка тряслась от страха. В такой ситуации и опытный эсесовец загрустил бы, эти же были н а ч и н а ю щ и м и, как ни крути! И они боялись!

И еще: пушки грохотали. Сибирцы и чехи стояли у ворот города! Тут не до церемоний было! Пороли ножами, резали, рубили...

Доказательство: позже Н.А. Соколов нашел на площадке у Открытой шахты и осколки драгоценных камней, и осколки топазов от бус дочерей (подарок Распутина), и много чего еще, к чему притронулось колюще-режущее орудие.

Николай Алексеевич сделал свой вывод о том, что рубили трупы, только потому, что т р у п о в н е н а ш е л. Оттого и счел: разрубили и сожгли.

Иконы со следами ударов (они показаны Соколовым в приложении, в иллюстрациях) — такие иконы не носят на шее. Эти иконы — ценную память от Распутина, близких — Семья и люди хранили в одежде. Эти иконы скорее всего попали под удары пуль и штыков.

Вот и все...

Конечно, это тоже версия. Но она не хуже той, которую предложил следователь Н.А. Соколов.

Но есть и нечто другое.

А... убили ли Романовых?

Может быть, вся эта переписка по поводу их смерти между Москвой и Екатеринбургом — всего лишь коварная дезинформация, прикрытие блестяще проведенной акции по имитации убийства, которого на самом деле не было?

Рассмотрим и это.

Уралсовету живые Романовы были абсолютно не нужны — зачем?

По слову Маяковского, разве что «Живые — так можно в клетку их — промеж гиены и волка, И сколь ни крошечен толк от живых — от мертвого меньше толка! Мы повернули истории бег, Старье навсегда провожайте! Коммунист и человек не может быть кровожаден!»

Это окончание стихотворения «Император». Первый вариант. Его поэту запретили. И тогда он написал сакраментальное: «... корону можно у нас получить, Но только вместе с шахтой!»

Оценить гуманизм и практицизм Уралсовета

я предоставлю читателям. Возможно, кому-то и покажется, что Уралсовет действовал под эгидой Франсуа Рабле или Эразма Роттердамского, не знаю...

С Москвой — сложнее. У Москвы были основания для того, чтобы сохранить Романовым жизнь. Например — отдать их кайзеру Вильгельму в обмен на деньги. Уменьшение контрибуции по Брестскому миру.

Но 6 июля пламенный попутчик большевиков левый эсер Яков Блюмкин убил немецкого посла Мирбаха в Москве. Таким образом, вариант обмена отпал сам собой.

И наконец, самая «детективная» версия, самая завлекательная, что ли...

Как и все в нашей стране, я читал детективы. От Конан Дойля до Юлиана Семенова. «А что если пофантазировать? — говорил я себе. — Романовых действительно убили. Но: изощренный чекист Юровский, понимая, что представители Сибирской армии и чехов трупы станут искать — придумал и провел отвлекающую операцию: настоящих Романовых расстрелял и в самом деле утопил в одной из глубоких шахт (их много вокруг Екатеринбурга, об этом варианте Юровский и сам пишет), а подставных — ну, каких-то специально подобранных, отобранных одиннадцать человек убил тем же способом, что и настоящих Романовых, а потом...»

А потом было то, что было.

А в «Записке» Юровский продолжал «отвлекать» от сути дела и «мудрить». Дело-то сделано, признаваться как бы и стыдно?

Не знаю...

Проведи Юровский такую «операцию», он — как любой чекист во все времена — гордился бы своим оперативным умом, смекалкой и уж не преминул бы об этом сообщить — по команде, например.

А зачем скрывать?

Далее. Мне представляется, что, найди сибирцы лжеромановых, — они бы разобрались в этом мгновенно. Подобрать людей, похожих по весу, росту, телосложению, портретному сходству, особым приметам — это и сегодня на грани возможного — даже для таких могущественных организаций, как сегодняшние органы госбезопасности, разведки и т.п.

А уж тогда...

Сибирцы стоят у города, времени нет, ни минуты. И сочинять все это?

Вряд ли...

Может быть — на очень дальних подступах? Заранее?

Юровский как человек, личность обнаруживает себя неглупым, понимающим, думающим. Но он не гений. Да и зачем? Все эти сложности?

...Конечно же, уверенность могла дать только экспертиза. Будет ли она? При советской-то власти? Ведь эта власть — навсегда?

Мои сомнения носили чисто умозрительный характер.

Единственное, что убеждало меня (профессионально) в очевидной слабости вышеприведенной версии, — это то, что мне всегда говорили: любая оперативная комбинация, любое действие на уровне «игры» — должно быть всегда простым, четким, без сложностей, потому что сложности могут провалить любое дело.

То же самое утверждали и профессиональные чекисты, с которыми мне приходилось иногда эти проблемы обсуждать.

Изощренная сложность — это для кинобоевиков. Там всегда все получится, потому что воля автора и режиссера тому порукой. А жизнь...

Она вносит свои корретивы, не прощая зауми.

Думаю, что Юровский это хорошо понимал.

...Я смотрел на ночные автомобили, изредка бросая взгляды на шкаф. В нем, этом шкафу, лежали два черепа. Это было... как-то нехорошо. Я это понимал...

Осенью 1979 года я приехал в Свердловск, чтобы вместе с Сашей побродить по Поросенкову логу, прикинуть: где мог сложить костер Юровский и сжечь два тела? Мы помним: он приказал похоронить все, что осталось в костре, — под этим костром.

Почти весь день ковыряли мы лопатами слежавшуюся почву Поросенкова лога. Мы действовали «от себя» — в том смысле, что вот она яма на дороге, она обнаружена, а неподалеку от нее зажжен костер, на котором пылают в огне два тела. Здесь? Или здесь? Или...

Мы находили в низу наслоений, под ними, угли от давних костров, еще что-то, но останков обгорелых, увы, не было... Поняв, что с лопатами здесь ничего не сделать, мы оставили свою затею до лучших времен. Я уехал.

На будущий год у нас появился еще один сподвижник — сотрудник некоего Госкомитета, безмерно увлеченный трагедией Царской Семьи — Алик Есенин. Большой, басистый, спокойный. Он сразу согласился принять участие в возвращении реликвий на исконное место. У меня он не вызывал ни малейших сомнений. Искренность агетов госбезопасности — самых изощренных и умелых — эта «искренность» всегда, или, скажем мягче, как правило, вызывает сомнение у внимательного человека.

Искренность Алика была вне подозрений. Саша согласился с его присутствием — пробить шурф в почве надобно было мгновенно, у нас имелась в распоряжении всего одна короткая летняя ночь.

Приехали на место в густых сумерках. Подняли шпалы. Пробили (прокопали) шурф — узкое, в ширину вертикально поставленного человеческого тела, отверстие. Алик с фонариком в руках спустился в него первым и почти сразу крикнул нам снизу:

— Здесь... какой-то череп... Ко мне затылком. По-моему, лежит и весь скелет, вытянувшись. Не разобрать...[1]

Алик вылез, спустился я. Пришлось лечь. Было сыро, какой-то жутковатый, ни на что не похожий запах исходил от этого свода — то был действительно свод — высотой сантиметров тридцать. И череп. Я поднял его, протянул наверх, выбрался.

Очевидно женский череп — моих скромных знаний хватало, чтобы это понять. Вытянутый, с выступающим затылком. Зубы впереди

---

[1] Хотя в дневнике записано, что в раскоп опускался Авдонин — мне помнится, что это был Есенин. *(Примеч. авт.)*

целы, при свете фонарика они смотрелись металлическими.

— Это — Анна Демидова, — безапелляционно заявил я. — Горничная. Зубы — недорогие. Под затылком я нашел вот это... — я показал гребешок, изогнутый, небольшой, «под черепаху» — как мне показалось. Почему он не сгорел в кислоте? Это понятно. Убитую сбросили с грузовика спиной вниз, голова прижалась к земле затылком.

Мы вернули череп на место. Завернули все три черепа в целлофан и вместе с привезенным мною крестом положили в ящик. Части скелета от черепа, который был у Саши, откопали, тоже завернули и опустили в яму. Сверху положили валун — он должен был перекрыть ствол от случайных проникновений. Забросали землей. Прочитали заупокойную молитву.

Еще до этой акции мы расплавили привезенный мною пластик и сделали слепки с двух черепов: с того, который хранился у Саши и который мы считали черепом Николая II, и с маленького — его мы полагали принадлежащим Алексею Николаевичу.

Слепки остались у меня и у Саши. Работу эту мы проводили в загородном доме Саши, на реке Чусовой.

Это был 1980 год.

Из дневников о ходе раскопок предполагаемого захоронения Царской Семьи.
Май 1979 г. — июль 1980 г.

31 мая 1979 г. Принято решение работать в логу у переезда 184 в целях обнаружения главного объекта — места захоронения Царской Семьи.

Взять: топор, пилу, кувалду, лопату — 2, бур, газовый ключ, полиэтиленовую пленку, рулетку, мешки под образцы, мешки, еду, бумагу для этикеток, бумагу для зарисовок, фотоаппараты — 2, карандаши, рюкзак, рукавицы.

План работы:

1. Общая фотосъемка местности — участка №1, рекогносцировка;

2. Проходка вдоль поисковой линии — скважина;

3. Выявление места сокрытия главного объекта;

4. При наличии времени — выходим в район №2 — Открытой шахты.

07 утра, солнечная погода. Владиславом Песоцким произведена подробная съемка места, на котором стоял особняк Ипатьева, сада при нем, дома Попова, Вознесенского собора, дома Харитонова.

08.45, пригородный поезд до Шувакиша. Яркий солнечный день, температура +20. Пришли на место, сняли рюкзаки.

...Пробито 5 скважин под шпалами. В двух из них (70 см друг от друга каждая скважина) бур извлек (глубина в 120 см) приблизительно двадцатиметровый слой черной субстанции с запахом мазута. Это искомое: Останки Романовых и их людей (в этой могиле 9 человек, все, кроме Алексея и Демидовой). Все, что осталось в результате воздействия бензина, серной кислоты...

Осмотром окружающей местности обнаружены: ржавые остатки железного ведра, эмалированный синий чайник под березой.

Вдоль старой дороги под травой и водой, заросшей и невидимой простым глазом, лежат шпалы. Прощупываются щупом. Начали бурить вручную. Когда после нескольких очередных вытряхиваний содержимое бура оказалось совсем непохожим на остальные пробы — черной массой с запахом горючего, — стало ясно, что это «нечто» чем-то сожжено, да и бур на этом месте легко шел в землю.

1 июня 1979 г. Подъем 06. Завтрак у Авдониных. Прибыл Геннадий Петрович, у которого официальное разрешение на геологический поиск, он у нас начальник экспедиции и группы. Авдонин А.Н. — 1-й заместитель, я — заместитель по научной части, Владислав Анатольевич — главный фотограф, по совместительству начальник охраны и разнорабочий.

Добравшись до места, начали раскоп предполагаемого погребения. Снят слой мокрой травы, верхний слой земли, обнажены шпалы.

Погода солнечная, температура 20 градусов. 2 снимка со стороны переезда 184 при начале разработки объекта №1. Со стороны 184 переезда общий вид объекта №1 после освобождения и промывки шпал.

Сняли 1-й слой шпал, под этим слоем обнаружен 2-й слой шпал, проложенный вдоль дороги, здесь же навалены сучки, остатки деревьев, камни, кирпич. Уперлись в 3-й слой шпал. Здесь вдоль дороги протекает ручей, он течет по искомому объекту, все заливает водой. Раскопано 60 см, глина. Сквозь воду из глубины выходит воздух, вода пузырится.

Первая находка — на глубине 80 см. Обнаружена часть фрагмента тазобедренной кости, черного цвета, по виду обработанная сильным химическим реактивом.

Обнаружены: часть позвонка и позвонок. Прекратили работать лопатами, мокрая глина. В ней трудно что-либо обнаружить, глина течет. Сквозь пальцы тут же натекает вода, хотя Геннадий Петрович вычерпывает ее лопатой, ржавым ведром и миской, найденной на дороге.

Здесь же обнаружена тазобедренная кость. Под шпалой, под слоем грязно-желтой воды — кисть руки. Снимаем лопатой слой мокрой глины, тут же все заливает водой.

Я шарю руками под водой, прощупываются ребра, кисти рук с маленькими косточками. Пытаемся отчерпать воду, но, кажется, это бесполезно.

Фрагментов одежды нет. Кости обнаруживаются по всей площади раскопа. Кругом на поверхности грязной воды появляются пузырьки воздуха.

Владиславом обнаружен обломок керамики толщиной 0, 5 см с круглым отверстием. Это осколок от аптечного керамического сосуда, в котором находился химический реактив, может быть, серная кислота.

Владислав долго, опустив руки в воду, копался там, извлекая фрагменты косточек, но вот он объявил, что обнаружил череп, извлек челюсть с зубами, не хватает передних 2-х зубов. Наконец извлечен и череп с крошечным остатком темно-русых волос. Промыли череп. Внутри обнаружены остатки где перегоревшего, а где и полусохранившегося мозга бежевого цвета внутри, а по краям темно-вишневого. Отдельные фрагменты мозга сохраняют цвет и структуру, извилины и т.п. Всего сфотографировано вместе с черепом 4 фрагмента. Раскопки продолжаются.

Выясняется, что трупы лежат друг на друге. Извлечены позвонки. Александр Николаевич и Геннадий Петрович обнаружили еще череп с шестью (6) золотыми зубами (мост и две коронки).

Произведена фотосъемка. Снова поиски в глине. Владислав опять извлекает череп (ему надо было быть археологом).

Промыли здесь же в ручье, на черепе в затылочной части крупное отверстие от пули, в правой височной части след от трехгранного штыка с ровными краями. Напротив отверстие от пули, в противоположной части черепа — другое отверстие, что свидетельствует о том, что оно сквозное.

Череп обнаружен между мелких осколков костей и позвонков, по размеру маленький (очевидно, кого-то из дочерей)...

Сфотографировали 3 черепа вместе, собранные фрагменты костей. Затем 2 черепа: маленький и с пулевым отверстием я взял себе, а 3-й череп с золотыми зубами передал Александру Николаевичу Авдонину. Черепки керамической фляги и позвонок взял Геннадий Петрович.

Затем все вместе составили акт о вскрытии захоронения, под актом расписались все участники. Акт вложили в стальную капсулу.

2 июня 1979 г. Открытая шахта. Погода резко изменилась. Температура +5.

На глиняной площадке при поверхностных срезах почвы обнаружено несколько металлических фрагментов, подлежащих дальнейшему изучению. Куски проволоки, кусок пряжки, кость.

В радиусе до 30 м и больше от открытой площадки в разных местах в поверхностном слое земли среди углей обнаружены осколки фаянсовой посуды с синим и красным орнаментом, стекло различной величины. Одно из них с тщательно обточенным краешком.

План работы на 6 — 10 сентября 1979 г.

1. Место секретного захоронения промерить в шагах от соответствующих ориентиров и занести в сей дневник.

2. Капсулу, вернее, сопутствующее содержимое переложить из хлорвинила (плесень!!!) в брезент, дерево, в общем — иную среду (не стали этого делать).

3. Попытаться отыскать захоронение А.С. Демидовой и Алексея (Остатки кострища под накопившимся слоем земли не нашли).

4. На открытой шахте продолжить тщатель-

ный поиск и сбор вещественных доказательств. (В частности, спуститься со страховкой в ствол шахты.)

5. Осмотреть в городе М. Беговая, д.6 (квартира Юровского).

6-9 сентября 1979 г. мною, А.Н. Авдониным, Г.П. Васильевым (участвовал 8 и 9) произведено обследование района секретного захоронения с целью выявления могилы А.С. Демидовой и Алексея Николаевича, а также фиксация состояния места секретного захоронения остальных Романовых и их людей. Кроме этого ставилась цель добыть дополнительные вещественные доказательства пребывания на Ганиной яме (открытые шахты) Юровского и его команды, а также Соколова с его людьми.

6 и 8 числа обследовался Лог, 7 и 9 — Открытая шахта.

1. Выяснилось, что все работы необходимо проводить не ранее июля — августа, так как раньше слишком обильна вода, жрут комары.

2. Район Лога и участок захоронения в полном и несомненном порядке. Никаких следов вскрытия захоронения в июне 1979 г. не наблюдается. Почва плотная, заросла травой, кустики, посаженные в центре вскрытия, хорошо принялись. Одна шпала ближе к северу (поперек) и два обломка ближе к югу (вдоль) — обкатались.

В течение двух дней (через день), через каждые 1, 5 — 2, 5 м производились срезы верхнего слоя почвы на глубину до 30 см с целью выявить старые кострища и обнаружить под одним из них могилы Демидовой и Алексея. Одно мощное кострище под слоем 15 — 20 см обнаружено с направлением на Ю.-В., на кромке леса «Площадь до 2 кв. м» Но под ним, до глубины 1, 20 (приблизительно) слой земли не нарушен, углей в глубине нет.

6 июля 1980 г.

1. Предполагаемый череп Николая II. Сохранилась только нижняя челюсть, на которой с правой стороны сохранился один коренной зуб (самый дальний). С правой стороны зуба у корня серебряная пломба размером 2x4 мм. С левой стороны мост золотой, на вид высокой пробы, из 5 зубов, мост надет на дальний коренной зуб и на клык. Золото на клыке проедено (протерто) наверху с левой стороны.

2. Предполагаемый череп Алексея или Анастасии. На нижней челюсти сохранились 5 зубов слева, 4 зуба справа, если считать от дальних коренных зубов вперед. На левом коренном зубе цементная пломба с наружной стороны и на правом втором коренном — серебряная пломба с наружной стороны.

3. Предполагаемый череп Татьяны Николаевны.

Сохранились верхняя и нижняя челюсти, все зубы... кроме передних верхних двух. На нижних коренных дальних с наружной стороны серебряные пломбы.

У последних двух черепов нижние зубы мудрости не поднялись ни справа, ни слева.

Вечером 6 июля 1980 г. приблизительно в 19 часов приступили к изготовлению специального ящика для повторного захоронения находящихся у нас трех фрагментов скелетов. Доски (в наборе), покрашенные красной морилкой и сверху нитролаком, доставил Гена Васильев.

Сколочен ящик в форме прямоугольника. Внутрь положены (в хлорвиниловой обертке и таких же мешках поверх обертки):

1. Череп Николая II (?), золотой мост слева;

2. Череп Татьяны Николаевны (?);

3. Череп Алексея Николаевича (?) или Анастасии Николаевны (?).

Туда же положили в такой же обертке:

1. Фрагменты костей, которые хранил Авдонин (кроме черепа Николая);

2. Фрагменты костей, которые хранил Г. Васильев;

3. Фрагменты костей из-под сосны;

4. В двух флакончиках со спиртом — зубы, выпавшие из 2-х черепов, хранившихся у меня, и зуб, подобранный в захоронении, неизвестно чей. Кроме того, в этих флакончиках тщательно собран весь прах, осыпавшийся с черепов во время хранения, плюс фрагменты некрозированной ткани с черепов.

Все вышеперечисленное уложено в ящик. Поверх праха (останков). Положен медный (желтой меди) «крест-хранитель» с распятым спасителем и обычной надписью на обороте. Сделаны штихелем, грубо, следующие надписи: вверху справа — «Претерпевший до конца — спасется». «Матф. Х-22» и «Взято 01.06.79. Возвращено 07.07.80».

Ящик заколочен. Электропоездом 20.33 (московское время) выехали на Шувакиш. Погода сухая, ясная, жарко. Достаточно светло (далее по местному времени).

Авдонин настаивает на том, чтобы сделать колодец и опустить в него ящик. И все. Я предлагаю сделать сбоку могилы (у куста) разрез-траншею глубиной приблизительно 1,5 м и из этой траншеи, подкопом с глубины, углубиться в могилу. Мои доводы: все равно мы еще раз нарушаем покой этого места. А раз так — мы обязаны получить какие-то дополнительные данные. Более всего я настаиваю на поиске револьверных пуль.

Мое предложение проходит. Делаем разрез-траншею приблизительно 7,0х1, 20х1, 60 (глубины). Работу начали ровно в 12.00, опаздывая, таким образом, против аналогичных действий Я.М. Юровского ровно на 62 года + одни сутки приблизительно...

Освещаем работу фонариком. Он быстро садится, но светит. Углубляемся в могилу. Через 50 — 60 см Авдонин натыкается на скелет. Очищаем это место. Крупный череп, лежит макушкой к нам...

На этом заканчиваем. Ящик ставим в углубление, предварительно вернув череп Демидовой на место. Гребень оставляем у себя. Разрез заваливаем землей, ветками (чтобы при раскопе вновь случайный человек ни до чего не докопался из-за трудности проходки), на ящик предварительно ставим (Авдонин) тяжелый большой камень, дабы (опять-таки!) случайный человек, наткнувшись на этот камень, не сумел прокопать дальше вглубь. Заравниваем, счищаем по возможности землю вокруг, разрез (поверхность) закрываем свежим дерном, заранее аккуратно срезанным с поверхности разреза. Сверху набрасываем сучья и ветки.

Авдонин предлагает постоять у могилы без шапок. Исполнено.

* * *

Когда все закончилось, мы с Сашей вдруг (!) поняли, что ситуация сложилась тревожная. Пока мы ничего не знали реально, пока ничего не сделали — все смотрелось, как некий рассказ писателя XIX века. Теперь обстоятельства изменились. Соделанное угнетало нас, давило, слишком великая ответственность возникла за сохранение этого места. В один из своих приездов в Свердловск я предложил останки выкопать и спрятать в надежном месте. Например — договориться с директором музея Петропавловской крепости в Ленинграде и положить найденное под спуд собора — до времени.

Бредовая, конечно, идея, но поначалу мы в нее верили.

Когда я познакомился в 1989 году с Игорем Виноградовым, он вызвал во мне такое доверие, он был столь непосредствен и искренен, что я без колебаний рассказал ему все и спросил совета: «Как быть дальше?» Игорь заволновался и согласился участвовать. Сколько помню — даже покойный Булат Окуджава (после переговоров с Игорем) нас поддержал.

Я не ошибся. Порядочность этих людей была вне подозрений, их сопереживание, сочувствие — тем более. К сожалению, не все так думали. Большинством овладело равнодушие, не более. Слава Богу, что «идея» эта сумасбродная не была осуществлена.

Наступило ли забвение — до лучших времен? Придут ли когда-нибудь эти «лучшие»...

В конце 1978 года Совет Министров и ЦК КПСС приняли решение о присуждении телефильму «Рожденная революцией» Государственной премии СССР. Процесс шел непросто, трудно, не все члены Госкомиссии нас поддерживали, пришлось вмешаться Щелокову, и вопрос сразу же был решен. В те дни я ни о чем не задумывался, искренне полагая, что мы ничем не хуже других и премию получили заслуженно. Волнение сменилось самой искренней радостью — кто из кинематографистов того времени не мечтал о заветном золотом знаке с серпом и молотом...

В те времена я часто бывал в Доме Кино — только там можно было увидеть бесцензурные новинки мирового и родного кинематографа, пообщаться с единомышленниками.

В один из вечеров я пришел на очередной просмотр в Малом зале. Народу, как и всегда, было много, я искал свободное место и, когда поднимался по лестнице у стены, услышал: «Гелий!» Оглянулся: то была Лариса Шепитько, блистательный режиссер, мастер; только что Лариса закончила своего знаменитого «Сотникова», по повести Павла Быкова. Среди писателей восьмидесятых (а для меня — и по сей день!) он, Быков, один из весьма и весьма немногих решался говорить страшную правду о Великой Отечественной. Его «Круглянский мост» — история · мальчика-партизана, чьей жизнью закономерно пожертвовал коммунист, командир отряда, — величайший в истории родной литературы смертный приговор теории так называемого «социалистического гуманизма»

Лариса была грустна, задумчива, она смотрела на меня дружески, едва заметная полуулыбка мелькнула у нее на губах в тот миг, когда она произнесла негромко:

— Поздравляю тебя. Искренне. Очень рада за вас с Алексеем Петровичем. Ты передай ему...

Только в это мгновение воссиял в бедной моей голове яркий свет прозрения. До меня дошло — во всей полноте: «Рожденная» — получила. А «Сотников»...

Лучше бы мне не ходить на этот просмотр.

Лучше бы провалиться сквозь пол.

Когда подобное происходит не с кем-то, далеко, а с тобою...

О, тогда шкала ценностей вспыхивает на стене, как страшные буквы перед Валтарасом. Тогда понимаешь: ты и в самом деле взвешен на весах и ... найден очень легким...

Я обязан защитить Щелокова: он боролся за своё, искренне в это «своё» верил. Все прочее не имело значения. Борьба не знает сострадания.

...Но когда в апреле 1998 года программа «Старый телевизор» в какой-то энный раз предложила к просмотру фильм «Рожденная революцией» и пригласила меня — для беседы у экрана — я отказался. Потому что вспомнил покойную Ларису и лишний раз ощутил несправедливость мира сего, потому что прошло слишком много времени и я стал другим. Лепетать же нечто неразборчивое... Увольте.

Это совсем не означает, что к артистам, снявшимся в этом фильме, я отношусь без почтения. Все они известные и талантливые люди, в предложенных им рамках они сделали невозможное, и канцелярская затея режиссера-постановщика Кохана, не благодаря, а вопреки, стала все же чем-то человеческим...

...В конце 1997 года мне позвонила дочь покойного министра — Ирина Николаевна. Мы не были знакомы и никогда друг друга не видели. Я догадался, что Ирина Николаевна услышала мой рассказ в программе «Герой дня». Мы поговорили, вспомнили прошлое. Я сказал, что бываю на Ваганьковском кладбище, на могиле Щелокова. Когда разговор уже заканчивался, Ирина Николаевна сказала:

— В 1978 году, как-то за вечерним чаем, отец сказал мне и маме: «Гелий нашел Романовых».

...Мне не простили «связи» с некогда всесильным министром. В 1991 году одна из ленинградских газет написала: в могиле Романовых Рябов — по заданию Щелокова — искал драгоценности. Что сказать... Могу только предположить, что автор этого пассажа часто пересекал границу СССР, выполняя поручения мафии по провозу драгоценностей. В таких случаях бриллианты прячут в известном месте.

Романовы прятали бриллианты в лифах. Лифы были распороты, все камни изъяты и впоследствии — еще и еще раз говорю об этом — пошли на святое дело освобождения африканских негров и индийских кули от рабства. Убиенных бросили в яму г о л ы м и. Утверждаю категорически: люди порядочные — в отличие от корреспондента ленинградской газеты — бриллианты в «известном месте» не прячут. Поэтому в яме были только кости и пули. И черепки от горшков с серной кислотой.

Слава Богу — Министр Внутренних дел СССР был в высшей степени порядочным человеком! И его долг Совести оказался все же выше партийного и государственного долга.

Странно бы было, если бы, подписывая мои командировки в Свердловск, письма в Архив Октябрьской революции и в Дирекцию библиотеки имени Ленина, отдавая распоряжение оказывать мне всяческое содействие — планами Свердловска и окрестностей, крупномасштабными картами и прочим[1] — Щелоков в конечном счете не догадался бы, в чем цель и смысл моих действий.

Но ничего конкретного я ему никогда не говорил.

Он никогда и ни о чем — в связи с Романовыми — меня не спрашивал.

Мой друг и соавтор А.П. Нагорный знал многое, но и ему я ничего и никогда о самом главном не говорил.

Допустить, что кто-то в Свердловском УВД блестяще выполнил поручение Министра и специальная группа «НН»[2] проследила за нами — я не могу. Щелоков не стал бы рисковать ни сво-

---

[1] Сегодня мало кто помнит и знает, что в советские времена карта местности была продуктом недоступным. Все настоящие карты, с координатами, имели гриф «секретно» и использовались только военными, геологами, МВД — КГБ и прочими надлежащими организациями. Простые граждане покупали «карты» для личных, туристских и иных целей в магазинах. Это были не карты, пародии. Когда турист шел по этой карте к какому-то выбранному им объекту, он никогда не находил его на месте — все координаты были смещены. «Враг» не должен был ни о чем догадаться. То, что враг имел карты, снятые со спутников, и на этих картах были обозначены отдельно стоящие в огородах у граждан будочки для известной надобности — это как бы по боку. Вообще-то, сравнивая карты и планы Соколова и Дитерихса с предоставленными мне в МВД, мы убеждались, и не один раз, в том, что совместить «дюймы» прошлого и «сантиметры» настоящего — не такое уж простое дело для неспециалиста. *(Примеч. авт.)*
[2] Наружное наблюдение, на профессиональном сленге — «От Яковлева», «Николай Николаевич». *(Примеч. авт.)*

им положением, ни моей головой — зачем? Для подобной работы есть КГБ СССР.

И тем не менее — он сказал то, что сказал. А его дочь Ирина через много-много лет передала мне эти слова.

Мы все ходили по тонкому льду и теоретически осознавали это. Но только теоретически... Я утешал себя тем, что КГБ не всемогущ, не вездесущ и не всесведущ (хотя и стремится к этому); мне также казалось, что у ребят с Лубянки есть дела и поважнее. Я ошибался.

Мне остро захотелось понять психологию, образ мышления, уровень образованности того человека, вокруг смерти которого теперь вращалась и моя жизнь, и жизнь моих друзей.

Н.А. Щелоков обратился по моей просьбе к руководству Главного архивного управления при СМ СССР. И я оказался на Пироговке, в Архиве Октябрьской революции.

Встретили меня на удивление дружелюбно. Отдел использования архивных документов — я работал именно в нем, а не в библиотеке, как положено, — состоял из редкостно осведомленных, милых и славных женщин разного возраста, все они относились ко мне столь по-доброму, что я сразу же освоился и перестал соотносить эту дружественность со своею принадлежностью к внештатному положению в МВД. Им всем — всем без исключения — предмет моих поисков был столь интересен и интерес этот вспыхнул так искренне и непосредственно, что я мгновенно почувствовал: меня ждет удача.

Напор новых сведений, фактов, данных был

столь велик, что поначалу я чуть-чуть растерялся. Сотрудницы отдела отвлекали меня в таких случаях от главного ствола моих поисков. Однажды — к примеру — показали дневник филера полиции — это в общем то же самое, что и нынешний разведчик наружного наблюдения. Донесения «наружки» я читал в весьма большом количестве и, тем не менее, был поражен абсолютным сходством, совпадением даже, психологии филера начала века и современного офицера специального подразделения. Те же слова, те же «занимательные размышления», те же часы и минуты, которыми фиксировалось движение и остановки «объекта».

Мне дали прочитать личное дело секретного агента Департамента полиции Зинаиды Гернгросс-Жученко. Меня тронула трагическая судьба этой женщины: она убежденно преследовала и выдавала политической полиции революционеров всех мастей и направлений, она с л у ж и л а, но не ж и л а, а благодарность Департамента оказалась более чем ничтожной. В 1915 году, уже во время войны, Жученко, проживавшая в Германии (там она скрывалась от мести революционеров), попала в лагерь для перемещенных лиц, умоляла родных жандармов о помощи, но...

Она сгинула в огне войны и начинающейся революции, но бывшие «кураторы» даже пальцем не пошевелили, чтобы спасти одного из самых блестящих своих агентов. Я был осведомлен о новейших вспышках того же самого. Богдан Сташиньский, боевик госбезопасности, уничтоживший руководителя украинских националистов Степана Бандеру выстрелом из пистолета, снаряженного патроном с цианом, однажды влюбился — естественно, за рубежами родного отечества, он честно поставил в известность о своих чувствах руководство ГБ, но не нашел ни понимания, ни поддержки в родном подразделении. Право на любовь принадлежит только тем, кто служит родине мозгами, руками и ногами, но не убийством из-за угла. Сташиньский предпочел любовь объятиям руководства. Он ушел за кордон и не вернулся.

Сегодня все это известно. Тогда — нет. Я соотносил, сопоставлял и приходил к неизбежному выводу: дело совсем не в политической или иной сути той или иной системы. Дело в людях. И нацист может быть гораздо более порядочным человеком, чем самый пламенный коммунист. Милые женщины рассказали мне умопомрачительную историю: то и дело, оказывается, являются к ним в архив партийные дедушки — всем далеко за восемьдесят — и просят подтвердить партстаж по материалам архива, — пенсия заметно повышается. И вот — несколько случаев. В картотеке секретной агентуры Департамента полиции (таковая проверяется в случае подобных обращений повсеместно) обнаружены следы... сотрудничества пламенных дедулей с Охранной полицией. «Мы вежливо отказываем... — печально сказала мне Наталья Васильевна, заведующая отделом. — И в КГБ не сообщаем. За давностью и... сожалением. Чисто человеческим, верьте на слово».

Я верил. Верил и вспоминал рассказ свердловского Главного редактора литературного журнала. «На одном из проспектов у нас в Свердловске стоит памятник выдающемуся революционеру. А вот верите ли — я раскопал в воспоминаниях нечто невероятное! Старички вспоминали о том, как застали этого пламенного большевика в местном екатеринбургском Охранном отделении — во время Февральской революции — и он, выдающийся, какие-то папки и дела жег нещадно!»

Я просмотрел некоторые «разработки» охранной полиции по Екатеринбургу. Под псевдонимом (агентурным) «Казак» некий большевик из самой глубины екатеринбургской организации сообщает в охранное отделение (его местную структуру) обо всем!

«Казак»... Ему ли стоит памятник? Огромный, красивый, мощный.

Странно это...

Мне принесли дневники Николая II. Тетради, заполненные черными чернилами, почерк — чуть вправо, буквы немного ломанные (этим изломом, нарочитой угловатостью грешили все Романовы). Произвел ли этот дневник впечатление? Нет. Он слишком скромен, сух, в нем слишком много несущественных (с точки зрения читающего) подробностей. Но несколько раз я форменным образом наткнулся на ошеломляющие строки. После свидания в Германии (кажется? Цитаты я не сделал, о чем теперь сожалею) Государь пишет о том, что его терзают весьма странные чувства. «Неужели я люблю обеих?» — вопрошает он, имея в виду будущую супругу, Александру Федоровну, в тот миг — еще Алису Гессенскую, и — первую, юношескую свою любовь, Матильду Кшесинскую.

Это мог написать только человек необыкновенно чистый, неиспорченный — какие могут быть сомнения...

Были и другие записи, весьма любопытные. Ну, например — о событиях «похуже Смутного времени» — в связи с началом революции 1917 года. О том, что вокруг — «трусость, подлость, измена» — это написано сразу после отречения, в вагоне на станции Дно. О том, что «черт-те что происходит на Черноморском флоте» — в связи с бунтом на «Потемкине» — и так далее. Не останавливаюсь на этом, так как все это не имеет прямого отношения к теме рассказа и многажды процитировано.

Он вел дневник, кажется, до конца 1918 года. Дальнейших записей нет, но я думаю, что это вызвано не рутинной жизнью в Доме Особого Назначения, а событием, которое вдруг затеплило тоненький лучик надежды. Я думаю, что Государь ничего не записывал, потому что был переполнен ожиданиями и просто-напросто боялся проговориться. Даже в дневнике. Ведь этот дневник в любое мгновение мог потребовать комендант Юровский.

Что же произошло?

Романовы получили письмо от сочувствующего им офицера русской армии. И не просто письмо, в котором неизвестный выражал свою верность и преданность. Неизвестный предлагал Романовым... бежать — не больше и не меньше.

Об этой своеобразной переписке Царственных узников со своим доброжелателем я знал. О ней упоминает в своей книге «Убийство Царской семьи и членов дома Романовых на Урале» М.К. Дитерихс, некогда назначенный приказом Верховного правителя А.В. Колчака «главнонадзирающим за следствием по означенному убийству». Генерал цитирует «Известия» от 3 апреля 1919 года. Перевод с французского (именно на этом языке шла переписка) сделан вполне вразумительно, все предельно понятно. Упоминаю об этом обстоятельстве только для того, чтобы читатель заинтересованный и внимательный чуть позже сравнил этот газетный текст с подлинным, сделанным переводчиком по горячим следам, сразу.

Итак, письмо №1: «С божьей помощью и Вашим хладнокровием надеемся достичь цели, не рискуя ничем. Необходимо расклеить одно из Ваших окон, чтобы Вы могли его открыть, я прошу точно указать мне окно. В случае, если маленький царевич не может идти, дело сильно усложнится, но мы и это уже взвесили, и я не считаю это непреодолимым препятствием. Напишите точно, нужны ли два человека, чтобы его нести, и не возьмет ли это на себя кто-нибудь из Вас? Нельзя ли было бы на один или два часа на это время усыпить «маленького» какимнибудь наркотиком? Пусть это решит доктор, только надо Вам точно предвидеть время. Мы доставим нужное. Будьте спокойны. Мы не предпримем ничего, не будучи уверены в удаче заранее. Даем Вам в этом торжественное обещание перед лицом Бога, истории, перед собственной совестью. Офицер».

Ответ Государя: «Второе окно от угла, выходящее на площадь, стоит открыто уже два дня и даже по ночам. Окно седьмое и восьмое около главного входа, тоже выходящее на площадь, точно так же всегда открыты. Комната занята комендантом и его помощниками, которые составляют в данный момент внутреннюю охрану. Их тринадцать человек, вооруженных ружьями, револьверами и бомбами. Ни в одной двери, за исключением нашей, нет ключей. Комендант и его помощники входят к нам, когда хотят. Дежурный делает обход дома ночью два раза в час, и мы слышим, как он под нашими окнами бряцает оружием. На балконе стоит один пулемет, под балконом другой на случай тревоги. Не забудьте, что с нами будет доктор, горничная и маленький кухонный мальчик. Было бы низко с нашей стороны (хотя они ни в коем случае нас не затруднят) оставить их тут после того, как они добровольно последовали за нами в изгнание. Напротив наших окон по той стороне улицы помещается стража в маленьком домике. Она состоит из пятидесяти человек. Все ключи и ключ №9 находится у коменданта, который с нами обращается хорошо. Во всяком случае, известите нас, когда представится возможность, и ответьте, можем ли мы взять с собой наших людей. Перед входом всегда стоит автомобиль. От каждого сторожевого поста проведен звонок к коменданту и провода в помещение охраны и другие пункты. Если наши люди останутся, то можно ли быть уверенным, что с ними ничего не случится».

Романовы ни в чем не сомневаются — это видно из их ответа. Они озабочены будущим своих людей — это делает им честь. А генерал сомневается и, забегая вперед, согласимся с ним: правильно делает. Только вот доводы Михаил Константинович приводит, мягко говоря, малосостоятельные. Генералу бы вдуматься, поразмыслить, но... Ненависть переполняет. Святая и вполне понятная ненависть к разорителям и убийцам. Эта ненависть сводит возражения практически на нет.

1. «Не по-русски все это писано». Верно. По-французски. И мы читаем перевод, более или менее отредактированный.

2. «Почему «Вы», «Вам», а не более привычное для офицера-монархиста и допустимое обращение к царю?» Верно. Но, может быть, все это написано отнюдь не ... офицером?

3. «Отчего «царевич», а не «цесаревич» — разве это одно и то же?» И это верно. Царевич — член Семьи Монарха, а Цесаревич — Наследник Престола. Только вот знает ли обо всем об этом автор письма?

4. «Откуда это интимное, ведомое только семье: «маленький»?» Ну... Возможно, автор письма ... подслушал все это?

5. «При чем тут «окно» и «окна»? Как через них похищать, если есть еще два забора? Их сначала надо проломить?» И это правильно. Но, предположим, что автор письма и не собирался никого... похищать?

6. «Государь не мог видеть «дома охраны», так как дом этот маленький, а забор выше окон». Это то, что на современном языке называется «хорошим вопросом». Да, не мог. Но может быть, Царю кто-то из охраны (передавал же ему письма кто-то из охраны?), кто-то из числа обслуги дома, присланной от большевиков, сообщил обо всем об этом... умышленно? Чтобы войти в доверие, например?

7. «О «проводах» Царь ничего знать не мог, да их и не было совсем!» Верно. Но причина ос-

ведомленности Государя изложена выше. О несуществующих проводах ему могли сказать лишь для того, чтобы он еще больше оценил серьезность «одного офицера» и его боевых друзей.

8. «Вокруг дома стояли «часовые от караула». Служебист Царь, с высшим военным образованием и опытом, не мог именовать «часовых» «сторожевыми постами». Согласимся и с этим. Но, может быть, это не Царь их так именовал?

9. «Не было «дежурных» по ночам. Были «разводящие». Это тоже азбука устава». Верная претензия. Но мы уже объяснили ее происхождение.

10. «И мог ли Царь забыть о Харитонове и Труппе? Вероятно забыли те, кто сочинял в Москве эти документы!» Здесь М.К. Дитерихс что называется вплотную подошел к истине. Но снова ошибся в предположениях. Текст подлинный. Харитонов и Трупп выброшены из текста за ненадобностью. Лишние подробности...

Общий вывод генерала: переписка сфабрикована.

Это так и есть. Но доказательства этой фабрикации носят совсем иной характер. Мы к ним вернемся.

Политические дезинформаторы прошлого изо всех сил старались убедить «трудящиеся массы» не только в правомерности и исторической закономерности «Великой Октябрьской Социалистической Революции», но и в жесткой необходимости всех ее акций и проявлений. Ленин, Свердлов, Троцкий и прочие прекрасно понимали, что эйфория взятия власти в «массах» рано или поздно пройдет, массы осознают, что к власти они никакого отношения не имеют, а вот убийства людей, жесточайшее подавление восстаний и т.п. — оставят по себе долгую, горькую и неизбывную память, если только не убедить всех и вся в том, что сторона противоположная, «помещики и капиталисты», сами дали повод для расправы.

Эту простейшую мысль следовало утвердить прежде всего по отношению к «Кровавому Николаю II». Следовало доказать, что Царь был не просто кровавым маньяком (вспомним фальшивый дневник Вырубовой, в котором А.Н. Толстой и историк Щеголев утверждали, что Николай II лично сам зверски убил мальчика-слугу)[1], он еще и все юридические законные основания для своей казни лично вручил в руки своих судей. Руководство Партии и РСФСР прекрасно знало, что во все времена и у всех народов суд беспощадно карает преступника, который попытался скрыться от следствия и суда...

19 июля 1919 года газета «Известия» сообщила: «... был раскрыт заговор контрреволюционеров, имевший целью вырвать из рук Советской власти коронованного палача... Документы о раскрытом заговоре высланы в Москву со специальным курьером».

Первое, отредактированное послание мы только что прочитали. «Офицер» и его неустановленные сообщники и есть тот самый «белогвардейский заговор». Царь и Его Семья и люди — участники этого заговора с другой, застеночной стороны. Но прежде, нежели мы

---

[1] В свое время известнейший наш писатель Валентин Пикуль положил этот фальшивый дневник в основу своего скандально известного романа «У последней черты». *(Примеч. авт.)*

начнем читать документы заговора, скажем то, что уже и так понятно: заговор инспирирован Комиссией товарища Дзержинского, местным, Екатеринбургским ее отделением, уездной ЧК. Губернская находилась в Перми. А, может быть, поскольку Уралсовет осуществлял юрисдикцию надо всем заводским Уралом — и совершенно самостоятельной ЧК. Дело, в общем-то, не в этом.

На языке специальных служб подобный «заговор», придуманный и созданный в недрах госбезопасности, называется инспирацией. Однажды во время прогулки (или — постучав в двери комнаты, кто знает) некто вручил Царю послание офицера-патриота. То есть «специальный курьер белогвардейцев», а на самом деле — завербованный агент инспирировал Царя и Семью с помощью сфабрикованного документа. Цель очевидна: скомпрометировать, а потом и расправиться.

Следует заметить, что красные руководствовались отнюдь не реальной заботой о том, чтобы к власти в России вновь не вернулся Дом Романовых. Сил, способных во времена всеобщего народного затемнения вернуть Царя, в России не было. Господа офицеры с чувством пели в ресторанах «Боже, Царя храни», титулованные дворяне с тоской вспоминали былое, генерал Корнилов заявил, что если Учредительное собрание восстановит монархию — он, Корнилов, уйдет с военно-политической сцены. Это были не слова. Будущий руководитель белого движения был убежден в исчерпанности монархической идеи применительно к российской действительности. Можно добавить, что ни на одном из фронтов войны не было ни одного члена Императорской фамилии. Из всех мгновенно изгнали, как чуму. Николай II интересовал самых ближних, самых преданных только потому, что попал в беду. Никто в России и за ее рубежами даже помыслить не мог о возвращении Царя к правлению страной.

В чем же дело?

С одной стороны, Ленину и его сподвижникам нужны были страшилки, дабы неустойчивые, колеблющиеся массы знали и понимали: если что — «Кровавый» вернется и не помилует. Пропаганда этой идеи была поставлена большевиками на самый высокий уровень.

С другой — социалистическое Сибирское правительство стремилось объявить и материально доказать всему миру нечто вполне, впрочем, очевидное: к власти в России пришли самые темные, самые радикальные и бесчеловечные силы. Европа и Америка должны знать: не поможете справиться — получите то же самое. Поэтому с первых минут в Екатеринбурге сибирцы искали трупы убиенных.

Кто же он был, этот романовский связник, этот челнок, снующий между Домом Особого Назначения и «тщательно законспирированной монархической группой», существующей разве что в воспаленных мозгах местных чекистов?

Штатный сотрудник или внедренный к Романовым (а вначале — все равно — завербованный) агент — он несомненно был человеком весьма способным. Понимая, что превосходно отработавшего агента необходимо из разработки вывести, чекисты начали — и небезуспешно — инспирировать общество — в том смысле, что связник Романовых — это некто Сидоров, генерал-майор, сумевший наладить связь. Говорят и о том, что Сидоров — крестьянин, сохранивший верность своему Государю.

Спустя много лет М. Касвинов, автор нашумевшей в свое время эпопеи «Двадцать три ступени вниз», называет наконец гениального агента: это доктор Владимир Николаевич Деревенко, врач Наследника. Для Касвинова доктор, естественно, враг. Пособник. На самом деле — верный слуга карающего меча диктатуры пролетариата. Кто же он такой?

Приват-доцент, с 1912 года — личный врач Наследника Алексея. По приказу Временного Правительства последовал в Тобольск, а затем и в Екатеринбург: был как бы «прикомандированным», а не добровольным спутником Семьи. И потому советвластью арестован не был, свободно приходил в Дом Особого Назначения и уходил из него. Вполне вероятно, что местная ЧК, задумавшая вышеназванную провокацию, не арестовала Деревенко отнюдь не из альтруизма и принципов законности, а именно из-за далеко идущих своих планов.

В показаниях, которые Деревенко дал в Омске, в сентябре 1919 года, он очень настаивает на том, что входил к Наследнику в комнату (то есть — к Государю и к Императрице, все трое жили в одной комнате) « всегда безусловно под конвоем». В один из таких приходов Деревенко познакомился с Я. Юровским.

В своем «Жизнеописании» (оно хранится в Государственном архиве «Октябрьской революции») Владимир Николаевич настоятельно подчеркивает: «... ясно само собой, что не могло быть и речи о приватных разговорах с членами б. царской семьи или кем-либо из заключенных и о передаче им или получении от них писем и записок. Нарушение строгих правил, о которых я был поставлен в известность, грозило смертью, и я, имея на руках жену, мать и ребенка, не мог и думать, да и не желал нарушать приказа...»

Правила, конечно, нарушать нельзя. И смерть может угрожать близким. Если эти правила нарушить.

«Жизнеописание» составлено автором после условно-досрочного освобождения из концлагеря при Днепрогэсе. Что стало с Деревенко потом — я не знаю. Но догадаться не трудно.

Конечно, все вышеизложенное — только предположение. Но оно вполне достоверно. Как достоверно и другое: от случайного человека (я упоминал рабочих из охраны, были и священнослужители и т.п.) Романовы не приняли бы никакой корреспонденции. Такую корреспонденцию можно было получать и передавать только через человека известного и вне всяких подозрений. Доктор Деревенко как раз и был таковым.

Продолжим изучение писем.

Когда я их увидел, подержал в руках, прочитал переводы, я понял (пусть, кто пожелает — весело рассмеется), почему советвласть не пала через несколько месяцев и продержалась вплоть до 1991 года.

Когда видишь собственными глазами, к а к э т о д е л а е т с я, — понимаешь, что и у Диктатуры бывают таланты. А не только убийцы...

Предо мною лежал конверт голубовато-серой

бумаги размером 10х8 см, взрезанный (срезанный) сбоку, на конверте надпись красными чернилами, крупно: «ПИСЬМА».

И еще один конверт голубоватой бумаги, 11х7 см, разорванный по длинной стороне, с карандашной надписью справа: «La zurveillance fur noux and Jnente toujouka suztuit a cuxe delteutre _____» На обороте конверта заклейка белой бумагой 2х2 см.

Далее — четыре листа в линейку, на разворот. Послания «офицера» писаны по-французски, черными чернилами. Ответы Романовых — по-французски, на том же самом листе, на второй половине, чернилами серо-синими. Переводы сделаны на отдельных листах черными чернилами, одним и тем же почерком. Получив от «связника» послание, Романовы отвечали на том же листе тетради. Все четыре листа остались неразделенными — я прошу обратить на это особое внимание! Ведь понятно: если бы Семья получала письма на неразделенных тетрадных листах и отвечала на листах тех же самых — ЧК могла получить всю переписку только в том случае, если бы накрыла монархическую группу и изъяла бы у нее переписку. Но для этого группа — самое малое — должна была бы просто-напросто с у щ е с т в о в а т ь...

Последнее письмо Романовым не передали. И так все было ясно для ЧК. И этот последний лист, оставшийся втуне, более всего свидетельствует о том, что вся переписка — акт отнюдь не спонтанный или подхваченный Романовыми. Это акт придуманный и проведенный в жизнь ЧК с весьма определенными целями...

И еще: мы уже видели, что в «Известиях» был

опубликован тщательно исполненный (с точки зрения понятий того времени) перевод. Это было сделано с одной-единственной целью — рабочие и крестьяне, сочувствующая интеллигенция ни на мгновение не должны были усомниться в том, что переписка шла на родном русском языке. В противном случае пришлось бы обнародовать и французские тексты, а это могло открыть истину.

Вот как выглядят все переводы в подлинниках (орфографию и синтаксис оставляю без изменений).

«С помощью божьей и вашим хладнокровием мы надеемся приуспеть (малограмотный переводчик: по-русски «преуспеть» — *Г.Р.*) без всякого риска. Нужно непременно, чтобы одно из ваших окон было бы отклеено, чтобы вы могли открыть в нужный момент. То что (тот факт, что) маленький царевич не может ходить, осложняет дело, но мы предвидели это, и не думаю, что это будет слишком большим затруднением. Напишите если нужно два лица, чтобы нести его на руках или кто-нибудь из вас может это сделать. Возможно ли усыпить маленького на один или два часа, в случае, если вы заранее будете знать точный час. Это доктор, должен сказать свое мнение (синтаксис именно такой — *Г.Р.*), но в случае надобности мы можем снабдить те или другие для этого средства (Вещи). Не беспокойтесь: никакая попытка не будет сделана без совершенной уверенности результата (успеха). Перед богом, перед историей и нашей совестью мы вам даем торжественное это обещание. Один офицер».

Обратим внимание на несуразности, чисто

языковые, в этом переводе. Может быть, его делал иностранец? Ведь русский переводчик синхронно, пожалуй, восстанавливал бы управление по-русски. А здесь? «...мы можем снабдить те или другие для этого средства»?

В «Известиях» подпись была просто «Офицер», а не «Один офицер». Я вспоминаю давнее «открытие» позднейшего переводчика Мопассана. Этот переводчик настаивал: у автора роман «Жизнь» называется «Одна жизнь», а это круто-де меняет весь смысл.

Вряд ли. По-французски «Один офицер», а по-русски — просто «офицер». И так далее.

Ответ Романовых: «Второе окно от угла выходящее на площадь открыто уже два дня — день и ночь. Седьмое и восьмое окна выходящие на площадь около. большого парадного (большой двери) всегда открыты (большой парадной двери). Комната занята командиром и его помощниками, кот. исполняют также внутреннюю охрану (внутр. караул) — до 13 человек. По крайней мере, все вооруженные ружьями, револьверами и бомбами. Все двери не имеют ключей (кроме нашей). Командир (начальник) или его помошник («ш» вместо положенной «щ» — *Г.Р.*) входят к нам когда хочется (когда они хотят). Тот, который дежурит делает наружный (внешний) обход два раза каждый час ночи (ночью) и мы его слышим говорящим с часовыми под нашими окнами (мы слышим, как он под нашими окнами бряцает оружием — в опубл. тексте — *Г.Р.*) одна митральеза на балконе, а другая внизу (на случай) в случае тревоги. Есть ли еще мы не знаем. Не нужно забывать, что мы имеем доктора и горнишную («ш» вместо «ч» — *Г.Р.*) двух людей (пропущено в официальном тексте — *Г.Р.*) и маленького мальчика при нас. Это будет неблагородно с нашей стороны (хотя они не хотят нас затруднять) их оставить одних после того как они последовали за нами в ссылку. Доктор уже три дня в постеле после припадка почек, но уже поправляется. Мы ждем все время возвращение двух наших людей молодых и мощных, которые заперты в городе уже месяц и не знаем ни где и по какой причине (видимо речь идет о матросе Климентии Нагорном и лакее Иване Седневе — *Г.Р.*) В их отсутствие отец носит маленького чтобы перейти комнаты для того чтобы выйти в сад (очевидно, что ответ написан одной из дочерей Николая II и слово «отец» выброшено из официальной публикации с единственной целью: «Кровавый» — во главе угла. Только он и никто больше! — *Г.Р.*) Наш хирург Д. (доктор Деревенко — *Г.Р.*) кот. приходит к маленькому почти каждый день в 5 часов живет в городе — не забудьте его, мы его одного никогда не видели (ну, еще бы! — позволю себе почти воскликнуть. Обратите внимание — этой ключевой фразы в официальном тексте нет. Почему? Это понятно... ЧК не станет подставлять агента под удар. Что касается заботливой фразы Романовых — и она понятна. На всякий случай Деревенко должен получить нечто вроде алиби. Помните — и сам доктор подчеркивает постоянно, что виделся с семейством только в присутствии охраны особняка. Учтем, что «помощь» доктора Семья воспринимает как нечто само собой разумеющееся. Разве может придти Романовым в голову, что перед ними не их милый и заботливый врач, а завербованный агент ЧК? Повторюсь: ни от кого другого в этой ситуации Царь не принял бы «послания» с предложением «помощи». Ни от кого... — *Г.Р.*) Охрана (караул) находится в маленьком доме напротив наших окон на другой стороне улицы 50 человек. Единственные вещи, которые мы еще имеем в ящиках в сарае (во внутр. дворе). Беспокоимся в особенности за номера A.Q. №9 малень. черный ящик и большой черный ящик №13 H.A. со старыми письмами и дневниками, конечно комнаты наполнены ящиками кроватями и вещами на произвол ворам, которые нас окружают (в официальном тексте этого пассажа нет. Во-первых — властям не нужны разоблачения. Во-вторых — всё правда. При коменданте Авдееве была украдена иконка, висевшая над кроватью Алексея Николаевича. Позже и сам Юровский расскажет о том, как его «команда» бросилась на трупы убиенных, чтобы присвоить драгоценности — *Г.Р.*) Все ключи и в отдельности №9 у командира кот. ведет себя хорошо по отношению нас (напомню: Дитерихс усомнился в правдоподобии этого утверждения и, как видно, напрасно. Юровский был п а л а ч, но не с а д и с т. Мучениями своих жертв, я думаю, он не наслаждался — *Г.Р.*) Во всяком случае предупредите нас если вы можете и ответьте если вы можете увезти наших людей. Перед парадным есть всегда автомобиль. Имеются звонки со всех постов в комнату командира и еще есть нити, которые идут в караул и другие места (Романовы настаивают на этом обстоятельстве, вероятно, они правы — *Г.Р.*) Если наши люди останутся можно ли быть уверенными что ничего не случится с ними??? Доктор Б. умоляет не думать о нем и других людей (падеж неумолимо свидетельствует о том, что перевод сделан иностранцем. Почерк этого иностранца и французские тексты от «Офицера» — тоже разные. Последнее понятно. По законам специальной работы ее должны делать и сделали фактически два разных человека — *Г.Р.*) чтобы не делать вашу задачу еще более трудной. Расчитывайте на нас и женщину. Помогай нам бог и расчитывайте на наше хладнокровие (дважды пропущено «с» — *Г.Р.*)

П. Быков, (а позже и М. Касвинов) цитируют и другие фрагменты. Цель все та же: создать впечатление, что дело весьма серьезно, что удалось раскрыть реальный заговор, который — буде он осуществлен — принес бы трудящимся неисчислимые беды. Что ж... И чекисты, и пропаганда уже на заре туманной юности уловили конька, на котором позже ехали и скакали во весь опор несколько десятилетий террора и инсинуаций...

Второе письмо «офицера»: «Не беспокойтесь о 50 человек кот. находятся в маленьком доме напротив ваших окон — они не будут опасны когда нужно будет действовать. Скажите что-нибудь определенное (более верное, точное) относительно вашего командира чтобы нам облегчить начало. Это невозможно вам сказать теперь (в этот час) если можно будет взять всех ваших людей. Мы надеемся, что да, но во всяком случае они не будут с вами после вашего отъезда из дома кроме доктора. Принимаем все меры для доктора Д. (хороший ход: Романовы должны верить и понимать — какой серьезной опасности подвергается «вестник» — *Г.Р.*) надеемся гораздо раньше воскресенья вам указать детальный план операции. До сих пор он установлен таким образом: сигнал услышанный вы закрываете и баррикадируете мебелью дверь кот. вас отделяет от стражи, кот. будет блокирована и терроризирована внутри дома. (С помощью веревки) с веревкой специально сделанной для этого вы спускаетесь через окошко где вас будут ждать внизу, остальное не трудно, средства передвижения не в недостатке и прикрытие хорошо как никогда. Важность вопроса это спустить маленького возможно ли отвечайте обдумывая хорошо (обдумавши). Во всяком случае это отец мать и сын, кот. первые спускаются дочери потом доктор им следует (за ним следует). Отвечайте если это возможно по вашему мнению и если вы можете сделать веревку употребляя уже данную чем вам препроводить веревку очень трудно в данный момент. Один офицер.» (Напоминаю: синтаксис сохранен в неприкосновенности — *Г.Р.*).

Следует обратить внимание на несомненно присутствующее в этом письме психологическое давление. «Офицеру» совершенно необходимо получить мотивированное, обоснованное согласие Романовых. Такое согласие — уже доказательство готовящегося ими преступления и немаловажное, заметим. Но неожиданен их ответ:

«Мы не хотим и не можем бежать мы можем только быть похищенными силой т.к. сила нас привела в Тобольск. Так не расчитывайте ни на какую помощь активную с нашей стороны (я представил себе лица читающих это послание чекистов и допущенных к операции членов

Уралсовета — Юровского, Голощекина, Белобородова... Как они вытянулись, эти лица, какое горестное недоумение в глазах, как их подвели эти чертовы трусы — Романовы. Сколько усилий — и все коту под хвост. Но — ничего. Они — большевики. Они справятся — *Г.Р.*) Командир имеет много помощников они меняются часто и стали озабоченными. Они охраняют наше заключение как и наши жизни добросовестно и очень хороши с нами. Мы не хотим, чтобы они страдали из-за нас ни вы из-за нас в особенности во имя бога (избегайте) избежите кровопролития. Справьтесь о них вы сами (возможно — это искренний призыв. Возможно, Романовы желают выбить все козыри из рук своих палачей, наивно полагая, что такая позиция реабилитирует их в глазах власти. Возможно, все это написано потому, что — на всякий случай — некто посоветовал им написать все это? Не знаю... — *Г.Р.*). Спуск через окно без лестницы совершенно невозможен. Даже спущенными — еще в большей опасности из-за открытого окна из комнаты командиров и митральеза с нижнего этажа куда проникают с внутреннего двора. (Откажитесь же от мысли нас похищать, изъять). (Обратите внимание — снова та же мысль, призыв, только в этой фразе гораздо более настойчивый. Романовы хотят застраховаться в глазах властей — на тот случай, если письмо попадет в ненадлежащие руки. Другой вывод сделать невозможно. К сожалению, Романовы — как и весь народ — пока еще не знают, не понимают, что традиционная мораль большевиками отвергнута, что их «мораль» заключена в простых и бесконечно страшных словах: морально то, что выгодно рабочему классу. Впрочем, рабочий класс здесь ни при чем... — *Г.Р.*) Если вы следите (наблюдаете) (бдите) о нас вы можете всегда придти нас спасти в случае опасности неизбежной и реальной. (Романовы погружены в романы — простите за невольный каламбур, но это чистая правда. Государю и Семье все еще кажется, что век благородных рыцарей не миновал, что дворянство за честь почтет лечь костьми, но... Видимо, забыл Государь, как совсем недавно подо Псковом разбегались по перрону темные силуэты сподвижников, и остались только верные и преданные, но они тоже в узилище. Остальным — на-пле-вать... — *Г.Р.*)

Прерву на мгновение цитирование этой переписки. Мне искренне жаль Государя, Его Семью, его людей. Но я понимаю: 23-летнее царствование Николая II имело множество темных, попросту ужасных сторон. Царь осознанно вызвал к жизни силы самые дикие, невежественные, злобные. Он полагал, что «природный монархизм» этих сил укрепит его царствование. Наивное заблуждение, увы...

Большевики подсчитали: в царствование Николая II погибло в каторге и ссылке, тюрьмах и Централах, на виселицах и от пуль около 75 тысяч человек. За 23 года.

Все познается в сравнении. За 70 лет большевистского правления по тем же причинам с лица земли исчезло не менее сорока миллионов.

Призвавший зло во спасение неизбежно получает еще большее зло на погибель.

Продолжим. «Мы совершенно не знаем, что происходит снаружи. Не получал ни журналов ни газет ни писем. С тех пор, как позволили открывать окно надзор усилился и даже запрещают высовывать голову, с риском получить пулю в лицо». Так заканчивается второй ответ Царя.

Третье письмо «офицера». Почерк беспокойный и торопливый. Видимо, надвигаются события. «Друзья не дремлют больше и надеются что час так давно жданный настал (этот фрагмент опубликован Быковым и Касвиновым — *Г.Р.*). Бунт (сопротивление) чехословаков грозит большевикам все более и более серьезно. Самара, Челябинск и вся Сибирь восточная и западная во власти временного правительства. Армия друзей словаков в 80 километров от Екатеринбурга, солдаты красной армии не сопротивляются сильно. Будьте внимательны ко всякому движению (снаружи) из вне ждите и надейтесь. Но в то же время я вас умоляю будьте осторожны, потому что большевики раньше чем будут побеждены (чем быть побежденными) представляют для вас гибель реальную и серьезную. Будьте готовы каждый час (все часы) днем и ночью. Сделайте набросок (очерк) ваших двух (заметно исправление карандашом — с «двух» на «трех» — *Г.Р.*) комнат, места мебели, кроватей. Напишите точно (хорошо) время (час) когда вы все идете ложиться спать (сбоку приписка карандашом: «в 11 1/2». Эта и вышеприведенная поправка скорее всего сделана Романовыми, вероятно для того, чтобы точнее ответить — *Г.Р.*) Один из вас не должен спать от 2 — 3 часов (каждую ночь) каждой ночи котор. следуют. Ответьте несколькими словами, подайте (давайте) я вас прошу, все сведения полезные для ваших друзей из вне. Это тому же самому солдату, который передал вас (это письмо) эту записку (которому) нужно передать ваш ответ письменно но не говорите ни слова. Один который готов умереть за вас офицер русской армии».

В этом письме есть — на мой взгляд — два немаловажных обстоятельства. Рассмотрим первое. Инспиратор пытается добиться от Романовых активности. Весьма честно объясняет им обстановку на фронтах. Нагнетает предметную детализацию — она психологически «вздрючивает» адресат, заставляет его и в самом деле «не спать». Расчет понятен. А вдруг Романовы ускорят события и облегчат их завершение «товарищам»? И перестанут «желать быть только похищенными»?

В Журнале Дома Особого Назначения есть запись о том, что доктор Боткин нашел спрятанную на печи бомбу и доложил коменданту. Представим себе, что не нашел или нашел, но не доложил? Расстрел на месте всех и сразу...

Второе. Инспиратор настаивает на реальном существовании солдата, который приносит и уносит письма. Ну что ж... Порассуждаем.

Первое. Не было «солдат», которые могли входить к Романовым. Деревенко — помните? — настаивает на том, что никогда не общался с Романовыми один на один.

В ДОНе служили только рабочие Уральских заводов. Да, они писали на стенах дома похабные слова и рисовали не менее похабные сценки, они пьянствовали и подворовывали, но невозможно поверить, чтобы распропагандированный, убежденный человек из народа, рабочий — тем более — вступил в конспиративные отношения с «главным угнетателем». Зачем? Цель какая? Спасти, помочь? Это нелепо. Мотивы — их и вообще представить невозможно. Проснувшаяся совесть? Религиозный экстаз? Озарение? Всё это пустые слова, увы...

Думаю, что ЧК подыгрывало и Романовым и своему агенту. Психологически такое предположение вполне уместно... Меня спросили как-то: а вот доктор Деревенко... Вы-де утверждаете, что он был агентом ЧК. Но тогда почему его не убили, чтобы скрыть следы его участия в заговоре ЧК против Романовых?

А зачем? ответил я. Деревенко свою роль сыграл блестяще. «Заговор» был «раскрыт». Что и о чем и кому мог рассказать поднадзорный доктор, обремененный женой и детьми?

Ничего и никому.

Уточним: в те, давние уже, времена большевики (Юровский и прочие) были принципиальными убийцами. Но садистами, убивающими для удовольствия или из-за нарушенной психики, они не были. Это уже позже, на «низовой» работе в ЧК появились «подвальные психи», неврастеники, больные и тому подобное. Нервнобольным был Менжинский; его клеврет Глеб Бокий — являл себя выраженным половым психопатом и садистом. Но это позже, это потом.

Не исключаю, что и Юровский и руководитель Екатеринбургской ЧК Лукоянов были по-человечески благодарны своему блестящему агенту доктору Деревенко. А позже, когда психология революционеров изменилась и во главу угла встали новые люди, — Деревенко арестова-

127

ли и отправили в концлагерь. Безвинно, уверен в этом...

Ответ Романовых занимает две трети следующей страницы и половину оборота. Написан карандашом, почерк крупный, писала скорее всего одна из дочерей.

«От угла до балкона 5 окон выходят на улицу, 2 на площадь. Все окна закрыты заклеены и выкрашены в белый цвет. Маленький еще болен и в постеле и не может совсем ходить. Каждое сотрясение причиняет ему страдание. Неделю тому назад из-за анархистов думали нас (увезти) отправить в Москву ночью. Ничего не нужно (предпринимать) рисковать без совершенной уверенности в результате находимся все время под внимательным наблюдением».

Послание «офицера» №4 на листе простой белой бумаги, разорванной пополам. Почерк и чернила похожи на предыдущие. «Перемена караула и командира нам помешала вам написать. Знаете ли причину этого? (Иные пассажи ЧК вызывают судорожное умиление, почти восторг. Задать подобный вопрос — вот так, прямо — могли только невероятные циники и подонки. Все же и палач ищет пусть нужные, но не такие хулигански-лобовые слова. «Знаете ли причину, по которой слабак Авдеев заменен надежнейшим Юровским? Да просто всё! Настает час «Х»... — *Г.Р.*) Отвечаем на ваши вопросы. Мы группа офицеров русской армии, которая не потеряла совесть долга перед государем и отечеством. Мы вас не информируем детально насчет нас попричине (грамотность среди большевиков еще не достигнута — *Г.Р.*) котор. вы хорошо понимаете, но ваши друзья Д. и Г., кото-

"Святые царственные мученики молите Бога о нас"
(автограф на обороте иконы).

Вид Дома Особого Назначения (особняк Ипатьева)
во время прибывания в нем Царской Семьи.

Столовая. Здесь собиралась Семья. Здесь звучало:
"Умер, бедняга, в больнице военной..."

Комната в первом (полуподвальном) этаже, в которой
в ночь на 17 июля были уничтожены Семья Романовых
и Их люди, преданные Им до последнего дыхания.

Так выглядело это помещение в августе 1976 года.

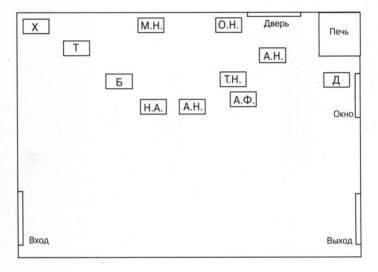

Реконструкция последнего мгновения...

X — Иван Михайлович Харитонов

Т — Алексей Егорович Трупп

Б — Евгений Сергеевич Боткин

М.Н. — Мария Николаевна Романова

О.Н. — Ольга Николаевна Романова

Т.Н. — Татьяна Николаевна Романова

А.Н. — Анастасия Николаевна Романова

Д — Анна Степановна Демидова

Н.А. — Николай Александрович Романов

А.Н. — Алексей Николаевич Романов

А.Ф. — Александра Федоровна Романова

Дорога, по которой 17 июля грузовик "Фиат"
вез убиенных...

Николай Алексеевич
Соколов.
Именно ему
А.В.Колчак поручил
расследование убийства.

Комната в "доме Попова", которую занимал Юровский.

Сокровища Российской Короны. Возможно, именно эти
драгоценности были отправлены Юровским
в Москву.

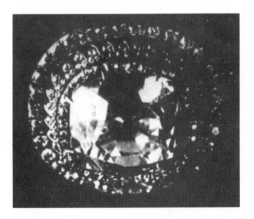

Эта брошь с бриллиантом в сто карат,
окруженным сапфирами, принадлежала
Императрице и была использована большевиками
на "дело мировой революции".

Бывший особняк Н.Н.Ипатьева
(вид со стороны ул. Карла Либкнехта).
Август 1976 года.

Вид особняка со стороны переулка. Август 1976 года.

Поросенков лог.
Поднят слой дерна.
Виден верхний ряд
шпал.

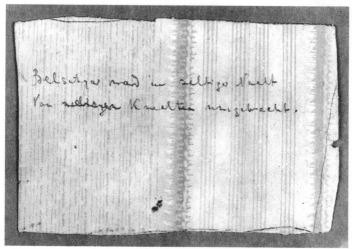

Надпись на обоях в "Смертной комнате".

Общий вид Поросенкова лога.
Куст в центре — "могила" Романовых..

Череп Анны
Степановны
Демидовой.
Отчетливо
видны следы
воздействия
серной
кислоты.

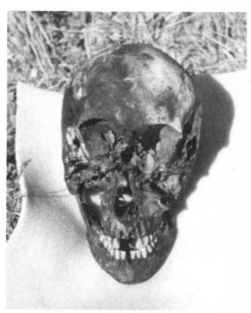

Череп одной
из дочерей Императора Николая II.

Момент извлечения черепа
Анастасии Николаевны.

Вскрытая часть захоранения.

"Ганина яма".
Это озерцо в тайге осушили рабочие Соколова
во время поиска тел.

"Открытая шахта".
Видны бревна, которыми был укреплен ствол.

Деревья старого сада и пустырь,
оставшийся на месте уничтоженного
"дома Ипатьева".
Нет дома, нет проблемы?

рые уже спасены нас знают (цинизм палачей достигает предела. Долгоруков — «Д» — убит сразу же по прибытии в Екатеринбург. «Г» — А.В. Гендрикова — томится еще в Пермской тюрьме, жить ей остается чуть больше месяца. Ее выведут вместе с гофлектрисой Шнейдер на ассенизационные поля и забьют прикладами. Но по сути — верно: и та и другая «нас знают» — *Г.Р.*) Час освобождения приближается и дни узурпаторов сочтены. Во всяком случае, армии словаков приближаются все более и более (все больше и больше) к Екатеринбургу. Они в нескольких верстах от города. Момент делается критическим и сейчас не нужно бояться кровопролития, не забывайте, что большевики в последний момент будут готовы на всякое преступление. Этот момент настал нужно действовать. Будьте уверены, что митральеза нижнего этажа не будет опасна. Что касается командира мы сумеем его увезти. Ждите свисток к полночи (к двенадцати ночи) это будет сигнал (сигналом)».

Ответа на это письмо не последовало, так как его не передали Романовым. Фиглей-миглей для обоснования убийства Семьи более не требовалось.

А вообще-то «товарищи» достаточно беспощадно описали и себя, и свою «мораль», и свои способности. Будущее, тем не менее, оказалось многократно страшнее...

...Я нашел в деле № 601 обрывок бумаги, на котором Николай II записал следующее: «Не видать земли ни пяди, Всё смешалось: кони, бляди, С красным знаменем вперед Оголтелый прет народ. Нет ни совести ни чести, Всё с говном смешалось вместе, Лишь одно могу сказать: Дождались е... мать». Если это сочинил сам Государь — отдаю ему должное. Он точно определил будущее своей страны до конца XX века.

Кто приказал убить Романовых — Екатеринбург или Москва?

В обоснование первой версии всегда приводятся утверждения о том, что Уралсовет был организацией более чем самостоятельной, подчинялся Москве чисто номинально и все решения принимал авторитарно. Никаких документов, подтверждающих совершение этого преступления по приказу из Москвы, не обнаружено. Переписка Уралсовета с Москвой безусловно доказывает, что уральцы действовали самостоятельно, ставя Москву в известность постфактум. Есть и совсем неотразимый довод: 16 июля 1918 года Ленин получил телеграмму из Копенгагена: «Здесь прошел слух, что бывший царь убит, будьте добры, телеграфируйте факты». В 16 часов в тот же день Ленин ответил: «Слух беспочвенен, бывший царь невредим, все слухи такого рода — ложь капиталистической прессы. Ленин». Один весьма видный историк еще во времена коммунистические, но уже вполне умеренные — спросил меня с некоторым даже негодованием: «Вы что же подозреваете Владимира Ильича в неискренности? Он и в самом деле ничего не знал! Они там сами все решили!»

У подобного утверждения есть определенные основания. В те дни и часы, когда поезд с Романовыми метался по стальным путям на подходе к Екатеринбургу, возмущенные суетливостью Яковлева екатеринбургские большевики напрямую обратились к Ленину — редкий случай...

Белобородов, предуралсовета, вопрошал: «Разрешите вас спросить из каких высоких соображений поезд с Николаем Романовым проделывает неожиданные эволюции заставляющие нас на все наше доверие центральной власти усумниться в безопасности Романова?» (В безопасности от них, уральцев — *Г.Р.*).

Хамский пассаж...

Да ведь Белобородов — он и был природный хам, получивший за свою верную службу революции пулю в затылок в 1938 году. Голощекин эту пулю получил в 1941-м...

Не сомневаюсь, что хамство это от «нервенности» и только. Но отнюдь не от «самостоятельности».

Давайте посмотрим. Пресловутая «Записка» Юровского начинается словами: «16/VII была получена телеграмма из Перьми на условном языке, содержавшая приказ об истреблении Романовых. 16-го в 6 час. вечера Филипп Голощекин предписал привести приказ в исполнение».

Если все решили сами — зачем какой-то приказ из Перми? При чем здесь Пермь?

У Юровского есть ключевое слово, оно все объясняет: «телеграмма». Другими словами, Екатеринбургский телеграф в этот момент связи с Москвой не имел — это обыкновенное дело во время гражданской войны. Москва (и только Москва!) послала приказ «об истреблении» кружным путем, через Пермь!

Иные объяснения не подходят. Из документов мы знаем, что все без исключения «романовские» проблемы Екатеринбург обсуждал только с Москвой и больше ни с кем!

Н.А. Соколов толковал телеграфную переписку Москвы и Екатеринбурга однозначно: Москва — приказывала, Екатеринбург — отчитывался о проделанной по Романовым «работе».

Есть еще один документ. Я нашел его (с помощью моих путеводительниц из Отдела использования) в фондах ВЦИК. Это запись разговора по так называемому «прямому проводу» (телеграфный буквенный аппарат Юз) между Уралсоветом и Москвой. Всё это уже многажды известно, но я процитирую документ полностью, потому что в нем есть пресловутое «ключевое» слово, оно многое объясняет и на многое проливает свет. Итак: «Пред. СНК т. Ленину пред. Свердлову из Екатеринбурга 17.07.18 2 часа (только что совершилось убийство Романовых — *Г.Р.*) У аппарата презид. обл. раб. крест. правительства точка Ввиду приближения неприятеля к Екатеринбургу и раскрытия Чрезвычайной комиссией большого белогвардейского заговора имевшего целью похищения (так! — *Г.Р.*) б. царя и его семьи точка документы в наших руках точка постановлению презид. обл. совета в ночь на 16 июля (это ошибка — от волнения, должно быть — *Г.Р.*) расстрелян Николай Романов точка семья его евакуирована в надежное место точка по етому поводу нами выпускаются (так! — *Г.Р.*) следующее извещение точка ввиду приближения контрреволюционных банд красной столице Урала и возможности того что коронованный палач избежит народного суда скобки раскрыт заговор белогвардейцев пытавшихся похитить его и его самого (так! — *Г.Р.*) и найдены компроментирующие (так! — *Г.Р.*) документы будут опубликованы скобки през. обл. сов. исполняя волю револ. постановил расстрелят (так! — *Г.Р.*) бывшаго (так! — *Г.Р.*) царя Николая Романова запятая виновного в бесчисленных кровавых насилиях русского народа (так! — *Г.Р.*) в ноч (так! — *Г.Р.*) на 16 июля 1918 г. (на самом деле — в ночь на 17 июля — *Г.Р.*) приговор етот (так! — *Г.Р.*) приведен в исполнение семья Романова содержыться (так! — *Г.Р.*) вместе сним (так! — *Г.Р.*) под стражей интересах охраны общественной безопасности евакуированные из города Екатеринбурга точка през. обл. сов. точка просим ваших санкции (так! — *Г.Р.*) редакции данного документы заговора высылаются срочно курьером Совнаркому и ЦК извещения ожыдаем (так! — *Г.Р.*) у аппарата просим дат (так! — *Г.Р.*) ответ екстренно ждем у аппарата». На бланке резолюция красными чернилами: «К прот. №1 от 18 УП».

Как известно — в знаменитом протоколе ЦИК от 18.VII.1918 г. решение Уралсовета признано «правильным».

Но мы уже знаем о том, что была телеграмма из Перми с приказом Романовых истребить.

А теперь — ключевое слово. Вот оно: «просим вашей санкции» на редакцию данного документа.

Что-то здесь не так... Решение о расстреле приняли самостоятельно, а документ самостоятельно отредактировать, без Москвы — невозможно? Вряд ли...

Соколов расшифровал телеграмму, посланную в Москву, тогда же, 17 июля. Очевидно, что она была направлена после разговора по прямому проводу. Она гласит: «Передайте Свердлову, что все семейство постигла та же участь, что и главу. Официально семья погибнет при эвакуации». Не нужно быть семи пядей во лбу, чтобы понять: после разговора по прямому проводу московское начальство перепугалось — как это так? Царя убили, а остальных?

Чтобы не разочаровать Москву и подтвердить исполнение именно московского приказа, Екатеринбург и шлет эту, дополнительную, телеграмму.

Другого объяснения я не вижу.

Каким бы «самостоятельным» Уралсовет не был — принять самостоятельное решение об убийстве Царя и Его Семьи уральцы не могли. Не тот уровень. И никакая ватажная, хулиганская смелость здесь не помогла бы. Да и были ли они все там, на Урале, такими смелыми?

Кто отдал приказ?

Троцкий записал в своих воспоминаниях: «Мы здесь решали». Представить себе, что решение подобного уровня могло было быть принято без ведома Ленина — невозможно. Но это только домыслы. Фактов пока и в самом деле нет. Обвинить вождей революции в убийстве Романовых можно будет только тогда, когда замкнется цепь косвенных доказательств (я их цитировал) или когда найдутся документы с подписями, прямо удостоверяющие причастность вождей. Или свидетельские показания. Игра в непричастность совершенно понятна: вряд ли Владимир Ильич желал предстать перед миром (и даже перед радикальными его элементами на Западе) кровожадным мстителем, вурдалаком. Помните — у Маяковского? «Коммунист и человек не может быть кровожаден». Им всем хотелось в ы г л я д е т ь (вспомним милейшие фотографии вождя). Б ы л и же они все и н ы м и.

Мне показали совершенно невероятные (по тем временам) фотографии: труппы вождей германского народа с веревками на шее. Эти фото были сделаны сразу же после казни в Нюрнберге. История иногда спрямляет разновременные события. И они высвечиваются и приобретают прозрачную, звенящую ясность.

Николая II и Его Семью — зверски у б и л и.

Сподвижников Адольфа Гитлера к а з н и л и справедливо.

За что это всё России и ее народам? За что?

Николай Бердяев утверждал, что а н т и н а ц и о н а л ь н у ю по сути революцию в 1917 году совершило н а ц и о н а л ь н о е большинство.

В этом утверждении философа кроется некий туманный вопрос. Обойти его можно, но, говоря словами А.П.Чехова, — не нужно. Да и зачем?

Об этом чуть позже.

25 июля 1918 года Екатеринбург был взят от большевиков войсками Сибирской армии и мятежными чехословаками. Уралсовет эвакуировался в Пермь.

21 августа 1918 года Командующий Третьей армией красных Берзин направил из Перми в Москву специального курьера, которому был

вручен окованный железом сундук, опечатанный уральской правительственной печатью, ключ от сундука, пакет за №84. Все это предписывалось передать Председателю ВЦИК товарищу Свердлову. Из текста сопроводительного документа видно, что в сундуке находились «вещи, принадлежащие бывшему царю Николаю Романову». Что было в пакете — неизвестно. Документ, из которого мною подчерпнуты эти сведения, хранится в фондах ВЦИК Государственного архива («Октябрьской Революции»).

Волнующий листок, он будит воображение...

Черный машинописный текст на лицевой части. Фиолетовый — на обороте. Размашистая, немного малограмотная (с точки зрения владения прописными русскими буквами) подпись Командующего. Входящие, исходящие номера...

Я подумал: в сундуке драгоценности Романовых. Это корректное предположение. А в пакете №84 — документы романовского «заговора» — почему бы и нет?

Я представил себе, как мотоциклист в черной потрепанной куртке въехал через Спасские ворота в Кремль и притормозил у здания ВЦИК.

Вот он поднимается по лестнице. Она давно уже не царская, валяются окурки, грязь кругом, и пожилой человек в потертой форме бывшего Дворцового ведомства, тоскливо покачивая седовласой главой, наблюдает, как уборщица с ведром и тряпкой на палке пытается замыть следы революционных сапог.

Секретариат ВЦИК. Курьер поставил сундук на стол, вручил пакет, секретарь расписался и тут же скрылся за дверями кабинета товарища Свердлова.

Тот вышел, с нескрываемым любопытством осмотрел сундук, укрепив спадающее пенсне на носу, приказал негромко:

— Несите ко мне.

Вот он открывает жестко вцепившимися в ключ пальцами заветный замок, крышка откидывается и...

Перед изумленным взором Якова Михайловича предстает то, чего он, аптекарский ученик, политкаторжанин и революционер, никогда раньше не видел.

Царские драгоценности.

Он смотрит, и пальцы скользят по драгоценным камням и матовому золоту. Они слегка подрагивают — от напряжения, должно быть...

Товарищ Свердлов снимает трубку:

— Владимир Ильич? Здесь Свердлов. Благоволите зайти...

Стремительно вбегает Ильич, склоняется над россыпью золота и камней.

— Забавно... Вы, я вижу, поражены? Напрасно. Это всего лишь овеществленный труд рабочих и крестьян. Материализованная несправедливость, не так ли? Одним словом — поучительно, не более. А что... в пакете?

Свердлов взрезает пакет изящным золоченым ножом (наверное, достался от прежних владельцев Кремля) и протягивает Ильичу сложенные бумаги.

Ленин читает, просматривает, и выражение лица у него меняется на глазах. Только что равнодушно-ироничное, оно становится вдохновенным:

— Документы заговора... Хм... — смотрит на Свердлова. — Талантливо сделано. Та-лан-тливо! Я всегда говорил, что революция взметнула к небесам притихший, затравленный царизмом разум наших людей.

Подошел к Свердлову вплотную, взял за пуговицу пиджака:

— Скажу по секрету. Строжайшему. Я был убежден, что только я один могу придумать... эдакое. Дзержинский — слабее! Не спорьте! Послать к полякам наших, вырезать там всё и вся, а потом свалить на бандитов! Дзержинскому это и в голову не пришло! Он — поляк.

Уважительно и задумчиво покачал головой:

— Екатеринбуржцы, уральцы — они придумали лучше! Никто в мире теперь не посмеет сказать, что мы ... убили Романовых! Нет! Мы их казнили. По совести. Вы согласны?

Свердлов смотрит восхищенно и преданно.

...Знатоки утверждают, что сундук с этими драгоценностями был в суете войны и революции забыт, утерян и обнаружен только в 1925 году под одной из кремлевских лестниц во время субботника. О том, куда было употреблено содержимое этого сундука, я уже говорил.

...В 1990 году, в Лондоне, на фирме Сотбис (я еще расскажу об этой поездке и о том, что там увидел) в Русском отделе мне подарили множество фотографий (копий), прикосновенных к продававшемуся тогда с аукциона архиву Н.А. Соколова. Среди этих фотографий была одна весьма занятная: в зале под сводами — стол. На нем разложены драгоценности русской Короны. Вокруг столпились мужчины в пиджаках и женщины в весьма скромных платьях. Совслужащие — это очевидно. Чуть в стороне, особняком, человек небольшого роста, с характерной лысиной, бородкой и усами — он тоже смотрит на стол с драгоценностями. Когда мои знакомые, в том числе и причастные к исследовательской работе, видели эту фотографию — они изумленно всплескивали руками: «Ленин? У такого стола? Сенсация...» И добавляли: «Нет. Это вряд ли Ленин...»

Не знаю. Но, когда я смотрю на эту фотографию, мне кажется, что мои фантазии — вышеперечисленные — не столь уж и беспочвенны...

И все же — Ленин или не Ленин стоял во главе угла? Ленин или не Ленин отдал приказ об «истреблении» Романовых?

Документов — нет. Но есть нечто другое.

Никто не упрекнет вождя революции в том, что при принятии решения он прятался за спины товарищей. Этого не было. Его письма в губернии, советскому и партийному руководству пестрят приказами (не советами, не мнением!) «расстрелять», «арестовать» — обыкновенные слова.

Может быть, уральцы пожелали преподнести вождю сюрприз?

Детское, наивное предположение.

Ответ Ленина в Копенгаген вроде и в самом деле свидетельствует о непричастности.

Но...

Ближайший сподвижник Ленина, Управляющий делами СНК Бонч-Бруевич с восторгом засвидетельствовал, что Ленин был полностью согласен с методологией революционера Нечаева, восхищался им и был убежден, что Дом Романовых следует уничтожить беспощадно.

Соотносить себя с фанатиком, автором «Катехизиса революционера», студентом Нечаевым, трактовавшим революционную работу по принципу «все дозволено», восхищаться убийцей, который без малейших колебаний принял решение о ликвидации заподозренного товарища по организации и убил, не дрогнув, — это ли не свидетельство самых крайних яростно-непримиримых взглядов вождя?

«Наше дело — страшное, полное, повсеместное и беспощадное разрушение» — это цитата из Катехизиса. «Титан революции» — это оценка, данная вождем мирового пролетариата Сергею Нечаеву.

Герой романа Достоевского «Бесы» Шигалев провозглашает рабство, донос, всеобщее соглядатайство, деспотизм и стадный принцип существования — основой будущего общества. Если отвлечься от памфлетной стороны этого образа, разве не проглядывает сквозь эти революционные принципы облик В.И.Ленина? Разве понятие «судороги», которую советовал запускать в общество Шигалев раз в тридцать лет, не знакомо нам?

Эти судороги преследуют страну после 1 марта 1881 года с достаточно четкими промежутками, вплоть до сегодняшнего дня, и это означает, что Россия поражена революционным спидом и еще не вылечилась.

...Доказательств нет. Но я убежден, что Ленин приказал убить. И не только Романовых. Интеллектуальный вдохновитель террора 1918 — 1924 годов — В.И.Ленин. Да и все последующее на его совести. 1 марта 1918 года в Москве Иван Бунин записал в своем дневнике: «Съезд

Советов». Речь Ленина. О, какое это животное!» Точнее не скажешь...

Мне приходилось и читать, и слышать о том, что Юровский якобы пощадил одного человека из Семьи и даже двоих. Эти предположения — на мой взгляд — беспочвенны и предполагают совсем иную психологию и практику большевизма, нежели ту, которая существовала реально.

Что я имею в виду?

Большевики так называемой «ленинской» школы были закаленными, бесслезными палачами «классовых врагов» и прочего «сброда» — в их, естественно, понимании.

Человек не представлял для Ленина и его сподвижников ни малейшей ценности. Этот человек был единицей, физическим потенциалом, с помощью которого строился гигантский фаланстер, не более того. Внутренние переживания и для палачей и для их жертв откладывались «вплоть до окончательной победы мировой революции». Загонять человечество в счастье железной рукой должно было без намека на сантименты.

С какой стати, почему Юровский — убежденнейший, никогда и нигде не дрогнувший — должен был вдруг впустить в сердце и в мозг «тухлую индейку» сочувствия «врагам народа и революции — Романовым»? Предположить такое — значит совсем не понимать, кто такие большевики.

Юровский никого не пощадил. Я могу предположить некое сочувствие к жертве даже у Николая Ивановича Ежова — он, Ежов, был уже некий результат большевистского строительства души человеческой, ему ничего не требовалось «осмыслять», не нужно было реминисцировать по поводу деятельности госбезопасности. И оттого, «под руку», как говорится, он вполне мог заменить кому-то расстрел, заступиться показно, ответить даже на письмо из концлагеря.

Юровский был в начале пути. Согласимся: это принципиальная разница. Юровский — даже, предположим, и сочувствуя кому-то — обязан был убить из принципа пролетарской диктатуры, то есть власти, опирающейся на насилие.

10 ноября 1982 года умер Брежнев. Вечером мы с женой пришли к концертному залу в Зарядье, на концерт, посвященный Дню милиции. Стояли смущенные, немного растерянные люди, никто ничего не понимал, пока не прояснилось: Леонид Ильич приказал долго жить. Я понял: для Щелокова наступают черные дни. Вряд ли и для меня они отныне будут «светлыми».

При Щелокове отношения КГБ и МВД развивались нестандартно. «Старший брат» постепенно терял при всесильном министре свою загадочную сверхзначимость. Я принес консультанту фильма «Рожденная революцией» И.И. Карпецу (то был, если не изменяет память, год 1977) двухсерийный сценарий, финальный, нашего телесериала. Сценарий этот был начисто отвергнут МВД. Нам сказали, что наркотиков в стране нет и быть не может, тем более — транзита оных через территорию СССР. Абсолютная беспомощность двух заключительных фильмов — это печальный результат нашего всеобщего конформизма. Но дело не в этом. Вспоминаю, как генерал Карпец — тяжелый, грузноватый, в очках, с неторопливой, интеллигентной речью — вдруг взорвался: «Что это у вас тут написано? Является к нам некто из КГБ и спрашивает: — а что у вас (МВД — *Г.Р.*) есть по такому-то? (речь шла об одном из персонажей с преступной стороны). Что за тон такой? Что за наглость? Что это вы пишете на уровне 37-го года? Эти времена кончились! «У вас»... — тянет Карпец с обидой. — А я на это упру руку в бок и спрошу: а у вас — что у вас?» Из-за чепухи, пустяка он был обижен весьма серьезно. Я и А.П. Нагорный — мы как бы чтили прежнюю традицию непререкаемого авторитета органов госбезопасности. Карпец при новом, весьма активном министре, друге Л.И. Брежнева, стал ее самым нормальным образом забывать.

Это — пустяк, но пустяк весьма характерный. На всю страну (правда, несколько позже) прогремела история о том, как сотрудники милиции метро «Ждановская» убили майора КГБ.

Я могу предположить, что возвышение Щелокова было совершенно нетерпимым обстоятельством для руководства КГБ СССР и Ю.В. Андропова лично.

Нарастали обвинения Щелокова в коррупции, непомерной (для коммуниста) устремленности к предметам антиквариата, его обвиняли чуть ли не в «ликвидации» каких-то людей, причем в корыстных целях.

Таково было время, таковы были взгляды. Моего доброго знакомого, ныне покойного А. Орлова, заместителя председателя ВААП[1],

---

[1] ВААП — Всесоюзное агентство по авторским правам (*Примеч. авт.*)

143

пригласили в ЦК КПСС и указали на то, что супруга зампреда увлекается собиранием старинной мебели. «Вы революционер! — с пафосом заявил Орлову работник ЦК. — Зачем революционеру старинная мебель?»

Несомненно, обстоятельства, приведшие Щелокова к акту отчаяния (или чести — нисколько этого не отрицаю), были глубже и значительнее.

И вот — жутковатая новость. Николай Анисимович покончил с собой. Мне говорили, что ему вполне официально — «дружески» позвонили и предупредили: сотрудники КГБ выехали, чтобы произвести арест. «У вас есть еще время...» — так сказали министру. Он надел парадную форму и выстрелил себе в рот из охотничьего ружья.

Я не ручаюсь за то, что эти ужасающие подробности абсолютно точны. Они точны в принципе. Это традиция: в 91-м министр ВД Пуго сделал то же самое. Он был убежден, что Ельцин с ним поступит точно так же, как некогда Сталин с Ягодой и Ежовым.

Я не знаю — в чем был виновен Пуго, груз какой ответственности лег на его плечи. Я думаю, что он испугался не того, что сделал, а именно традиции.

Щелоков ни в чем не был виноват. Ни в чем! Он никого не убивал, никого не ограбил, при нем МВД стал полноценной организацией по розыску и пресечению преступной деятельности, при нем оснастка МВД стала современной и достойной. Но он понимал: товарищи по партии не простят ему увлеченности антиквариатом. Он высунулся. Щелоков. А этого не прощали.

У заведующего инотделом ЦК КПСС Фалина коллекция была куда как качественнее! Но Фалин жил тихо и, подобно скупому рыцарю, наслаждался своими сокровищами в одиночестве. И Фалин никому не перешел дорогу. А Щелоков — перешел. Он слишком верил в свои силы, в крепость своего положения. Я вспоминаю, как он сказал — после награждения Золотой звездой и званием генерала армии: «Теперь мы многое сможем!» Я весьма обязан этому человеку и все, что пишу о нем сейчас, — пишу искренне.

Его могила и могила его жены Светланы — на так называемой «милицейской площадке» Ваганьковского кладбища. Удивительный памятник — чуть-чуть языческий, но невероятно трогательный: две фигуры из камня, стилизованные под древние степные, без черт лица, только движение — протягивают руки друг к другу. Супруга Щелокова застрелилась чуть раньше — от невероятной обиды и безысходности. Вопрос «За что?» — звучит в России всегда. Ее правители не ценят людей преданных и профессиональных. Это болезнь российской власти.

Хороший памятник.

На Новодевичьем есть памятник некоему военачальнику. Покойник держит в руке телефонную трубку. Это символизирует род его деятельности.

Чета Щелоковых избежала подобной нелепости.

...Потом умер мой соавтор, А.П. Нагорный. Я остался один — с тяжким грузом ответственности за свой архив по поиску Романовых, за сохранность места.

И Саша, и я, и Влад Песоцкий, и все остальные — мы переживали, волновались. Стоило теперь КГБ пальцем пошевелить — мы в прямом смысле этого слова не собрали бы костей.

Свой архив — весь, до последней бумажки, я запечатал в самый обыкновенный картонный ящик и передал на хранение своему доброму знакомому, человеку безупречно честному.

Сегодня, когда внутри страны и за ее рубежами устно и письменно сообщается о том, что я — секретный сотрудник госбезопасности, мои рефлексии могут показаться «знатокам» проблемы, а также и всем тем, кто склонен подозревать всех и вся, — тенью на плетень в ясный день. Чего бояться агенту? Кого?

Однако прежде чем начать этот непростой разговор, определимся в понятиях, это важно.

Итак — что такое «агент»? Это лицо, действующее по поручению розыскных органов политической и уголовной полиции. Уточним, что агент — это некогда самый обыкновенный гражданин, который был з а в е р б о в а н соответствующей службой; вербовка могла состояться только в том случае, если возник или имелся о п е р а т и в н ы й и н т е р е с.

Трудно предположить, чтобы в рассматриваемом случае агент куда-либо в н е д р я л с я. Скорее всего, он просто должен был выполнять поручение.

Точно также маловероятно, что вербовка состоялась лишь для того, чтобы новоиспеченный секретный сотрудник указал службе нечто, чего она, служба, до сего времени не знала. В нашем случае — место захоронения Романовых.

Во-первых, при известном напряжении мозгов, сил, и средств — КГБ мог вычислить и реально обнаружить яму, вырытую предшественниками из Екатеринбургской ЧК, в течение полусуток, не более того.

Во-вторых, вербовка для такой акции не нужна. Человека вызывают на разговор — куда-то, по обстоятельствам, и человек этот все рассказывает. Молчать бессмысленно, слишком серьезные последствия.

Меня не вызывали — никуда и никогда.

А и вызвали бы — я предпочел бы стать невыездным, безработным, трупом, наконец, но места не указал бы. Я ведь стал д р у г и м.

Летом 1989 года я показал фотографии останков на выставке в ВТО в Москве. Тогда ВТО устроило специальный вечер, посвященный памяти убиенной Семьи. Ко мне подошел организатор вечера и передал от имени КГБ весьма вежливое р а з м ы ш л е н и е, не более того. «Скажите Рябову, что определить — Романовы ли это, мы (КГБ) сможем и быстрее и лучше».

Но я не соблазнился и в КГБ не обратился.

Понятно, что в качестве сотрудника «осведомительной агентуры», или так называемой «объектовой», или в любом другом «агентурном» качестве я был КГБ не нужен.

Значит — поручение. Какое? Для чего?

Говорят: Рябов выполнил поручение КГБ и лично отвез в яму Поросенкова лога три головы, которые с 1918 года хранились в подвалах Кремля — те самые три головы: Царя, Царицы и Наследника, кои Юровский якобы доставил Свердлову в доказательство содеянного. Как некогда русский генерал привез Александру II голову Хаджи-Мурата.

Я готов все это написать в виде сценария и снять кинофильм.

...В каком году, дай Бог памяти, такое могло произойти?

Логично предположить, что в конце 70-х. Ю.В. Андропов понял, что акции по отлову прогульщиков и тем более — легкомысленных женщин, делающих завивку в парикмахерских в рабочее время, результата не приносят. Народ не желает больше изготавливать бутылки в первую смену, колотить их — во вторую и отливать заново — в третью (кстати, подлинный эпизод, случившийся некогда в Киеве). Ю.В. — с помощью аналитиков — понял, что страна семимильными шагами движется к краху.

Козырь или не козырь в определенной политической ситуации объявление народу: «Мы знаем, где могила Николая II и его семьи. Мы объявляем во всеобщее сведение, что бывший царь и все при нем были убиты несправедливо. Мы предлагаем достойно похоронить бывшего царя и тем исправить, загладить, восстановить и т.п.» В конце концов, Франко воздвиг общий памятник участникам гражданской войны. Он приказал написать на нем: «Вас разъединила жизнь и вновь соединила смерть». Это — примирение. Это — хорошо, кто станет спорить.

Итак, Андропову доложили, что некто Рябов интересовался Романовыми и даже нашел их. «Пригласите его», — распорядился Андропов.

И вот я на Лубянке, в кабинете всесильного руководителя КГБ. У кого более возвышенное и игривое воображение — тот может представить себе наше свидание на так называемой «конспиративной квартире».

Разница между понятиями «конспиративная» и «явочная» — весьма велика. «Явочная» — это квартира, которую снимают у самого обыкновенного, без грехов и погрешностей, с безупречной биографией, гражданина. На эту квартиру оперработник приглашает время от времени по графику, своих агентов. «Конспиративная» — это такая квартира, в которой оперработник как бы прописан и проживает, хотя на самом деле оная квартира принадлежит организации. КГБ в нашем случае.

В кабинет... Не думаю, чтобы Андропов пригласил меня в свой служебный кабинет на Лубянке. Слишком многие узнали бы об этом. А дело ведь небывалое, деликатнейшее.

Лично мне больше импонирует свидание на «конспиративной».

Я думаю, что она где-нибудь недалеко от центра Москвы, в добротном доме, солидном и ухоженном. Юрий Владимирович прописан здесь, и обслуга его знает под именем... Ну, пусть «Ивана Петровича». Эта квартира на четвертом этаже восьмиэтажного дома, на площадке еще одна квартира, ее занимает... Это не так уж и важно.

Вхожу во двор, подъезд в углу, слева, поднимаюсь на лифте и сразу же сталкиваюсь со знаменитейшим режиссером оперы. Вот, хотел скрыть свое сотрудничество с КГБ, а не получилось.

Звоню, человек средних лет в штатском, плотный, с проседью, вглядывается в мое лицо.

— Раздевайтесь. Шкаф перед вами.

Проходим в дальнюю комнату. Это добротно

обставленный кабинет, стеллажи с книгами, две хорошие картины на стене. На диване, закинув ногу на ногу, — он, Андропов; несколько мгновений молча вглядывается: «Я видел вашу фотографию. Не похожи. Садитесь».

— Я был моложе... — скромно произношу и сажусь в кресло, напротив дивана. — И лучше кажется... Я был.

Он молчит, рассматривает меня, как музейный экспонат. Молчу и я.

— Первое, — голос его бесцветен. — «Онегина» я и читал и перечитывал. Вы знаете, — смотрит, — о легенде по поводу отрезанных царских голов? Якобы Свердлов...

— Я знаю эту легенду.

Качает головой:

— Это — не легенда.

Слегка поворачивает голову: и человек в штатском сбрасывает покрывало с чего-то возвышающегося на письменном столе. Это три банки с прозрачной жидкостью, такие я видел в музее Академии наук, в Ленинграде, в бывшей Кунсткамере. Коллекция пастора Рюйша. Детские головки.

Здесь Государь. Мягкое лицо, закрытые глаза, едва заметна гримаса страдания. Императрица. Глаза широко открыты, в них полное безразличие. У мальчика тоже открыты глаза, он славно причесан, традиционно, от едва заметного пробора — направо. Шеи у всех троих закрыты белой материей.

— А это... зачем? — говорить мне трудно.

— Отрезали ведь... — бросает Андропов равнодушно. — Нелегкое зрелище... Вы нашли... место? Могилу? По нашим данным — да.

Это «да» — непререкаемо.

— Что от меня требуется? — стараюсь, чтобы голос не дрожал.

Молчит. Смотрит.

— Можно ли сравнить поступок женщины, прогулявшей работу в парикмахерской, с вашим поступком? Мы знаем всех, кто вам помогал. Тяжелая ответственность, Гелий Трофимович... Не так ли?

— Что я должен сделать?

— Вы совершили тяжкое государственное преступление, — цедит он. — Вы способствовали — в потенции — свержению строя рабочих и крестьян.

— Это установит суд?

— Суд установит то, что мы ему укажем.

Я чувствую, что начинаю надоедать ему.

— Эти головы упакуют, — продолжает Андропов. — Наши люди доставят их к месту. Которое укажете вы.

— А ... если я не соглашусь?

Он переглядывается со своим помощником, едва заметная улыбка мелькает в глазах под очками.

— Не согласитесь? А почему?

— Возможно, весь этот разговор — предлог. Вы хотите узнать место с моей помощью и уничтожить его. Откуда я знаю?

— Чтобы узнать место — достаточно поработать с вами полчаса или даже меньше. Чтобы узнать место — не нужен этот театр... — кивает в сторону банок с головами. — Я не режиссер, Гелий Трофимович. Итак, — да или нет?

И я решаюсь.

— Зачем вам это все?

— Вы прямо спросили, и я отвечу прямо: в государстве случается всякое. Эта... могила — наш общий, политический, если хотите, резерв.

...Разыгралось воображение. Сейчас — у меня. Согласитесь, я достаточно правдоподобно все описал.

Но еще больше оно разыгралось у тех, кто в любом благом движении души видит всемогущую руку всемогущего КГБ.

Не так давно оно разыгралось у газеты «Советская Россия». Уважаемая газета произвела меня в полковники милиции. Увы... Не достиг. Щелоков хорошо ко мне относился, но вот полковником не пожаловал. Очень жалко...

...Как бы правдоподобная встреча и разговор. Как бы. Потому что никогда и ни при каких обстоятельствах Андропов и КГБ не обратились бы ко мне. Слишком огромна тайна. Слишком невероятны последствия. Человеку с улицы (для них я именно это) такое не доверяют.

В дальнейшем станет ясно, что этот вымысел буржуазной и прочей прессы не подтвердился. Ни малейших оснований для этого нет и не было никогда.

Впрочем...

Впрочем, можно задать прямой вопрос руководителям ФСБ. Любой их ответ будет не в мою пользу, признаю это безоговорочно.

Нигде, никогда и ни при каких обстоятельствах спецслужба не раскрывает своих агентов. Разве что будет восстановлена монархия, и она станет преследовать бывших секретных сотрудников ВЧК—ГПУ—ОГПУ—НКВД—НКГБ—МГБ—МВД—КГБ—ФСБ точно так же, как некогда советвласть преследовала — беспощадно и бескомпромиссно — секретную агентуру Охраны...

Тем, кто обвиняет меня и Авдонина в «сотрудничестве» с ГБ, следовало бы понять простейшую вещь: когда агент исполнил поручение, его «выводят из разработки», то есть всячески нивелируют его участие в деле, всячески вуалируют это участие. Могут сказать, никакой «разработки» не было — так, «разовое поручение». Допустим. Но разве имеет право агент, разве может и смеет пойти против могучей организации, КГБ? Всё обнародовать и тем самым подставить не только себя — организацию?

Это невозможно.

Тем же, кто полагает, что мое выступление в печати являлось продолжением «операции», скажу просто и ясно. Нет. Потому что в 1989 году КГБ было, уже было, выгодно сообщить обо всем общественности и обрести лавры системы не палаческой, но вполне человеческой. Я для обнародования результатов был не нужен.

Впрочем, упертым и подозревающим всех и вся (кроме себя, любимых) всё это «до лампочки!.» У них — другая задача.

И вот здесь могу предположить (только предположить и весьма осторожно!), что инсинуаторы подобного рода как раз и выполняли в 1989 году (да и теперь выполняют) поручение тех лиц и тех структур, которым возвращение Семьи в Россию (а это именно возвращение, как ни крути) — поперек и невместно.

Тем, кто читал не очень внимательно, может показаться, что я верю в существование отрезанных голов.

Что ж... Большевики на все способны. Покойный Владимир Солоухин был убежден, что все это так и есть. Убежден и ныне здравствующий художник Илья Глазунов. Одна заковыка: этих голов никто и никогда не видел.

Никто. Никогда.

В начале 80-х годов мы с Сашей решили проехать по Тобольскому маршруту Романовых: дом губернатора — Абалакский монастырь. Эта идея родилась у меня не без влияния случайно прочитанного в журнале «Аврора» за 1976 год стихотворения ленинградской поэтессы Нины Королевой. Это стихотворение малоизвестное и уже забытое. Приведу его полностью.

> *Оттаяла или очнулась? —*
> *Спасибо, любимый.*
> *Как будто на землю вернулась*
> *На запахи дыма.*
>
> *На запахи речек медвяных*
> *И кедров зеленых,*
> *Тобольских домов деревянных,*
> *На солнце каленных.*
>
> *Как будто лицо подняла я*
> *За чьей-то улыбкой,*
> *Как будто опять ожила я*
> *Для радости зыбкой.*
>
> *Но город, глядящийся в реки,*
> *Молчит, осторожен.*
> *Здесь умер слепой Кюхельбекер*
> *И в землю положен.*

И в год, когда пламя металось
На знамени тонком,
В том городе не улыбалась
Царица с ребенком...

И я задыхаюсь в бессилье,
Помочь им не властна,
Причастна беде и насилью
И злобе причастна.

Я стоял, прижавшись лбом к холодному стеклу, по другой его стороне скатывались крупные капли дождя, они были как слезы, и мне казалось, что я плачу. Нет. Не казалось. Я плакал по-настоящему — рыдания меня сотрясали, то были слезы разрешения, отпуска. «Ныне отпущаеши, Владыко, раба Твоего по глаголу Твоему...»

Не берусь и не хочу обсуждать достоинства и недостатки. Это для меня и теперь не имеет ни малейшего значения. Если поэту удалось выразить состояние души человеческой — это хорошие стихи.

Как же отреагировал на эти удивительные стихи ЦК КПСС?

Главного редактора журнала «Аврора» сняли с работы. Невероятная формула... «Снять» можно штаны, на худой конец — «вопрос» — но и подобная постановка уже за гранью языка, а тут — «с работы»...

Ценная придумка времен товарища Ленина. Тогда много чего напридумывали, до сего дня икается.

А если спросить — за что?

Поэтесса задала вопрос — с общечеловеческих позиций — почему? И разве спустя десятилетия нельзя поразмышлять над судьбою царственных узников?

Ан, нельзя. Ибо «общечеловеческое» — оно опасно. Оно — не наше. Оно как бы прикрытие «сионизма». Ведь все мы не «общечеловеки». Мы родом из Октября. «Мы рождены, чтоб сказку сделать былью».

Вдумайтесь: сказку — былью.

Останься они у власти — у нас навсегда была бы «быль»... Автомобиль — только «герою производства», «хрущобы» — всем, и никакой надежды.

Верно, ее и сейчас немного — у большинства. Но когда и если это большинство вылезет из коротеньких штанишек большевизма и уравнительного распределения — тогда шанс появится у всех. Без исключения.

...И мы поехали.

Когда попадаешь в незнакомую местность, ничего о ней не зная, она производит — в лучшем случае — весьма поверхностное впечатление. Мы же прибыли в Тобольск отягченные знанием, сочувствием, сопереживанием.

И вот — город. Дома в нагорной его части тогда ничем не отличались от окраины Клина, Калинина, Кирова и чего угодно еще. Грязь, свалки, строительство и руины еще не снесенных деревянных домов прежнего Тобольска. «Здесь будет город-сад». Хм...

То, что внизу, за краем крепостной монастырской стены, сохранилось прекрасно — на первый взгляд — во всяком случае. Ряды уходящих к горизонту домиков. Деревянный театр. Губернаторский дом.

Невольно вспоминаешь. Ершов, автор «Конька-горбунка» — директор местной гимназии. Здесь был Радищев. Здесь родились Менделеев, художник Перов и многие-многие другие. Эти мысли летят где-то на обочине, ведь не из-за каторжан и ссыльных мы сюда приехали, хотя — и это интересно. Вот она, невзрачная, старинная тюрьма; вот губернаторский дом. Балкона (на нем некогда запечатлелись Государь и Алексей Николаевич) — этого балкона нет. Сада вокруг — тоже. Стоит невзрачный кинотеатр, а на наклонно возносящейся стреле — самолет с пропеллером — памятник техническому прогрессу СССР.

Напротив губернаторского — вычурное здание поздней архитектуры. Так называемый «дом Корнилова». Здесь жили все приближенные, все те, кто сопровождал Романовых. Татьяна Боткина — дочь Евгения Сергеевича Боткина, личного врача, на последних страницах своих записок вспоминает о том, как уезжали от дома Корнилова Государь, Алесандра Федоровна, Мария Николаевна. Боткина пишет, что замерло сердце и оборвалось что-то внутри, когда возок тронулся и долго еще был виден — до поворота. Татьяна Евгеньевна поняла: она больше никогда не увидит своих любимых людей.

Страшное слово — никогда...

Кладбище. Среди трех надгробий — могила Кюхельбекера. В голову ничего не приходит (Нина Королева куда как эмоциональна — против меня). Бормочу стихи Александра Сергеевича: «За ужином объелся я, Да Яков запер дверь оплошно, И было мне, мои друзья,

И кюхельбекерно и тошно». Мне жаль Кюхельбекера. Он был революционист, он был человек нелепый и жалкий, он способствовал, вольно, наступлению 25 октября. Это не преувеличение.

В декабре 1825 года Вильгельм Карлович выстрелил в Великого князя Михаила Павловича, брата Государя. Они были ровесники, каждому 27 лет. Некогда отец Кюхельбекера был директором Павловского дворца и человеком, близким императору Павлу Петровичу. И вот — выстрел. Но порох подмок, произошла осечка, и Михаил Павлович попросил своего царственного брата помиловать преступника. Кюхельбекер получил 20 лет каторги и вечное поселение. Так он оказался в Тобольске.

...Я стоял у его могилы и думал о том, куда завели кривые тропы начатой им некогда революции. Наследники его воли и разума расстреляли миллионы людей просто так, по подозрению в том, что разум этих миллионов все еще за чертой 25 октября, в «проклятом прошлом». Эти люди не годились для строительства всемирного фаланстера, в котором каждый обязан доносом на каждого...

За Иртышом — сколько хватал глаз — уходили к горизонту бесконечные леса, и бездонный купол неба будто опрокинулся надо мной. Кто я? Откуда пришел? Куда иду? Зачем я здесь? Эти вечные вопросы классической философии меня не одолевали. Нет. Земля вокруг меня была бесконечна. И ветер, что проносился над моей головой, не имел ни начала, ни конца. И все, что могло совершится, — уже совершилось.

Я просил Господа о прощении. Искренне. И слезно.

...Садимся в грузовик. Веселый шофер мчит нас иртышским берегом к Абалакскому монастырю. Наверное, Романовы видели с борта парохода — во время своего путешествия в Абалак — примерно то же самое, что и мы. Деревеньки, храмы, простор и волю. Руку протяни и достанешь. Жутковатая иллюзия...

Мы тоже видели домики, но только вросшие в землю, и обветшалые остатки великолепных некогда храмов XVIII—XIX века в своеобразном местном стиле барокко. Этот стиль для деревни редок, здесь же такой храм стоял в каждой, встретившейся нам.

Руины, руины, руины...

И вот — крепость над Обью и Иртышом. Входим. Исчезающее пепелище. В храме — вонь и засохшие экскременты. Наверное, храм оставленный — всё храм, но сейчас мне кажется, мнится, видится, как движутся Романовы среди толп молящихся, я слышу, как их приветствуют, протягивают руки в ожидании благословения, им рады здесь...

Мы любим пребывать в иллюзиях и снах. Слишком уж давит настоящее. Мерзость запустения действует, пригибает к земле. Нет. Хватит. Уйдем отсюда...

У местных жителей покупаем несколько мелких стерлядок, засовываем в хлорвиниловый мешок, засыпаем солью. Когда вновь оказываемся в гостинице — на столе нечто вроде солонины северных народов. Не очень вкусно, но — стерлядь. Я до этого видел ее только на картинках.

Потом идем в музей — он в ограде монастыря. Дама преклонных лет в платке на плечах — директор, кажется, — принимает нас не очень охотно. Многие теперь интересуются Романовыми, судьбой архиепискома Гермогена (он, если помните, — опора местной и всероссийской контрреволюции), даме это все не просто надоело — это опасно. Власть бдит. Она читает мое удостоверение, внимательно, долго, потом вздыхает: «Хорошо. Что вас интересует? Впрочем — я понимаю...» И мы рассматриваем альбом со снимками, сделанными Николаем II. Любительские снимки. Церковь в губернаторском доме, темноватые комнаты, «мёбель», окна... Этот альбом почему-то не производит впечатление. Зато фарфоровая тарелка, серебряная ложка...

Эти предметы Они держали в руках. Это приводит в состояние почти мистического прозрения. Вот Они садятся обедать, звякают тихонько ложки, и эта — среди них...

На другой день — в рейсовый автобус и в Тюмень. По дороге будет село Покровское. Здесь обосновался некогда Григорий Ефимович Распутин.

Длинная дорога, убаюкивающее потряхивание, в ушах — Надежда Плевицкая, высокий, сильный голос, он звучит трагически: «Замело тебя снегом, Россия, запуржило седою пургой, И печальные ветры ночные, Панихиды поют над тобой...» Лето вокруг, тепло и благостно, но «кипучая, могучая» почему-то не может пробиться к сердцу.

Автобус тормозит, мы выходим; ровная, как стол, безбрежная равнина вокруг, слева «село

160

большое», движемся к нему. «Где найти участкового?» — «А вона его дом...» — равнодушно отвечает женщина неопределенного возраста. Стучимся, мужик лет сорока в исподней рубашке и галифе, рассматривает мое удостоверение: «Вы — от Щелокова?» — «Да. У меня поручение (всё вру, никаких поручений мне министр не давал) — осмотреть дом Распутина и доложить». Он смотрит с доброжелательной усмешкой: «Припозднились вы... Вот, еще с год тому... А так — нету». — «Как это «нету»? — вступает Саша. Участковый чешет грудь. «А так. Пришел приказ, снесли до основания. Знаете что, если вам особенно надо, ступайте по главной улице до машинного двора, остатки слома там свалили, вы увидите. А рядом с его бывшим домом — книжный магазин». Находим улицу, идем. Раздольно здесь жили. И сейчас — тоже раздольно, просторно, но разве сравнишь?

Вот он, книжный. Одноэтажный неказистый домишко. Дом Григория Ефимовича был двухэтажный, с наличниками сквозной резьбы, не дом, а дворец деревенский... И вот — нету. Причина та же, по которой Москва некогда приказала Борису Николаевичу расправиться с домом Ипатьева. Прорастает народная тропа. Нездоровый интерес... Захожу в магазин, покупаю на память «Целину» товарища Брежнева. Символика...

Машинный двор. В дальнем правом углу нечто непотребное, словно забытый поверх земли покойник. Бревна, рамы, двери, и бог знает, что еще. Аккуратно отламываю от окна старинный шпингалет желтой меди. Он истертый, настоящий. Может, персты старца некогда прикасались к нему?

«Распутин погубил Их...», «Распутин отправил Их в могилу...» — этих суждений и было и будет еще много-много. Дело в другом. Наследник при Распутине не истекал кровью, старец умел ее останавливать. Его фраза: «Пока я жив — и вы живы» — есть непререкаемая истина. Романовы и Распутин были скованы одной цепью. Он погиб по глупости Великого князя Дмитрия Павловича и целеустремленной злобе патриота Пуришкевича, поручика Сухотина (мать знаменитой актрисы советского прошлого, Любови Орловой, была урожденная Сухотина. Всю свою жизнь Любовь Орлова боялась своего происхождения — возможно, потому, что была племянницей поручика? Страшное время... Петь с экрана: «Широка страна моя родная...» и замирать от ужаса по ночам...), доктора Лизоверта и изысканного молодого человека с мопсом на руках, (помните портрет работы Валентина Серова?) Феликса Феликсовича Юсупова, князя, «Маленького», как называл его Распутин.

Зачем? Откуда такая наивная, чисто большевистская убежденность: убить видимого виновника неудач и неурядиц и этим достичь благой цели? Цели благие средствами безнравственными не достигаются. Но — увы. Никто не помнит об этом.

Его труп не оставили в покое и после смерти. Нашли склеп, вытащили, проволокли, в чем мать родила, мимо окон Императрицы.

Я снимал эту сцену в Александровском дворце, на местах событий, и когда разъяренная «революционная толпа» потащила покой-

162

ника, две девицы — они стояли возле меня — посмотрели озлобленно и вдруг истерично захохотали.

— Что вы смеетесь? — удивленно спросил я. Одна подавилась истерической спазмой:

— Ты... Сволочь... Ты что тут врешь?! Никто никогда его не волок! Это жидовские байки!

— А Романовы, значит, остались живы? — осведомился я.

— Верно. И нечего тут надсмехаться. Их потом в крестьяне определили, они долго и счастливо жили и умерли в один день! А ты — гад!

Я велел их изгнать с площадки. Они долго еще шастали вокруг и выкрикивали лозунги.

И я подумал: ведь зачем-то коммунистическому крылу «истинно-русских» нужен этот миф? Впрочем — ответ лежал на поверхности: товарищ Крючков, Председатель КГБ, заметил во времена Горбачева, что «органы» расстреляли и отправили в концлагеря на смерть «всего-ничего» — миллион семьсот тысяч. Это, конечно, не сорок миллионов. А если еще Партия сохранила Романовым жизнь и заставила хлебопашествовать...

Цены ей нет, этой человеколюбивой партии.

Я храню этот распутинский шпингалет до сего дня.

В 1977 году Москва приказала (я уже упоминал об этом) взорвать особняк Ипатьева[1]. Саша

---

[1] На одной из пресс-конференций — в мае 1998 года сотрудник журнала «Москва» спросил меня: «А правда ли, что это Щелоков взорвал дом Ипатьева?». Я ответил: «Когда стало известно о том, что готовится взрыв, я пришел к Щелокову и напрямую спросил — знает ли он об этом? Министр сказал, что да, знает, но сделать ничего невозможно. «Это дикость, конечно, — заметил Щелоков, — но повлиять на это решение нельзя»».

писал мне в Москву и рассказывал, как в течение нескольких дней обводили дом специальным рвом, как потом грохнуло, и он, Саша, взял из развалин какую-то решетку — кажется, с крыши.

Когда я увидел руины воочию — собственно, то были уже остатки, основной «мусор» вывезли, — возникло трагическое ощущение. Вещие слова Столыпина: «Ничего не поняли и ничему не научились» — полностью относились к геронтологической команде Кремля, Великим князьям-убийцам Григория Ефимовича и ко всем нам. Историю нельзя изменить убийством. Этим ее можно многократно обострить, ухудшить. Ее живой, во многом — метафизический, организм не воспринимает прямолинейных человеческих глупостей... И подлостей — тем более.

Исчез Дом Особого Назначения. Площадь «Народной мести». И многое-многое другое.

А проблемы остались. И они нарастали.

В 1981 году издательство «Советская Россия» выпустило нашу с А.П. Нагорным повесть «Я из контрразведки». Эта абсолютно лояльная к соетвласти повесть вызвала бешенство у КГБ СССР, у ЦК КПСС. Всё дело в том, что мы попытались придать Ленину человеческие черточки в небывалой доселе литературной ипостаси: Ленин — властитель, бог, размышлял о том, что скоро корабль революции поплывет дальше без него, Ленина. В повести это достаточно безнадежные, горестные размышления. «Бесконечные ошибки в выборе лиц», как это называл сам Ленин, привели к тому, что нет наследников, наследника — Ленин в глубочайшей задумчивости.

Мы готовили переиздание, книжка очень быстро разошлась. И вдруг... Грянул гром. «Ленину не свойственны подобные рефлексии», — написали нам знатоки из института Маркса—Ленина.

«У них там (у Рябова и Нагорного) в подробностях рассказано о том, как казнили Романовых, — это уже Пресс-бюро КГБ СССР. — В первом издании мы рекомендовали снять это описание, и редакция к нам прислушалась. Мы считаем излишним переиздавать эту повесть».

В издательство явился грузный, уже достаточно пожилой «человек в штатском» — начальник Пресс-бюро КГБ СССР генерал-майор Яков Павлович Киселев. Я не присутствовал при разговоре Якова Павловича с директором издательства Новиковым. Но вскоре Новиков пригласил меня к себе. Он был доброжелателен, мягок.

— У меня несколько просьб... — начал он вкрадчиво. — У вас в повести есть сцена с Врангелем, и не одна. Послушайте... Зачем вам Врангель?

Я опешил.

— Но... Петр Николаевич Врангель — реалия гражданской войны. Именно о «врангелевском» периоде этой войны идет речь в повести!

— Я понимаю... Но «Петр Николаевич»? Вам не кажется? Этот кровавый палач?

Я все понял. Я мог произнести двухчасовую речь, но доводы были не нужны Виктору Ивановичу.

— И Ленин еще... — добавил он задумчиво. — Есть образ вождя. Образ. А у вас — кто и что? Разве это Ленин? Вы вот что... Уберите это все. Второе издание должно быть исправлено.

Мы распрощались. Каждый был уверен в своей правоте. Книга не была издана.

Наступил 1985 год, началась перестройка. Я не знаю, чего на самом деле желал М.С. Горбачев, но поверить в то, что человек мыслящий и образованный может надеяться на человеческое преобразование коммунизма, на то, что система интеллектуального подавления и концлагерей станет под давлением обстоятельств иной — нет... Я в это уже давно не верил.

В начале 1988 года я решил — окончательно и бесповоротно — обнародовать нашу находку — не место, конечно, только факт.

Саша бывал в Москве, мы виделись, в один из дней 1987 еще года он заехал ко мне, я сказал, что пришло время рассказать обо всём.

Идея не вызвала восторга. Саша сказал мне (а позже — и писал), что «время еще не пришло» и что «наши дети, возможно, когда-нибудь займутся этим.

Меня это не вдохновило. Я понимал опасения Саши: преобразования Горбачева, заявления 1-го секретаря Московского горкома КПСС Ельцина о том, что «у гласности нет пределов» — все это были слова. Никуда не делось 5-е управление КГБ, атмосфера в обществе была несколько свежее, но эту «свежесть» вполне можно было уподобить воздуху в прозекторской, при открытой форточке, конечно. Саша опасался и правильно делал, ибо верить вчерашним «вождям» никаких оснований не было.

Но мне было искренне жаль трудов, риска, бессонных ночей и результата, конечно. «Ты пойми, — говорил я Саше. — До того времени, пока твои сыновья станут осмысленными, верно понимающими историю родной страны людьми, — ох, как долго ждать. Между тем, если мы в период развитой диктатуры сделали то, что сделали, — сегодня проще. Сегодня вот-вот обнаружится множество желающих «отметиться» в журнале Истории, но вот к какому результату это приведет — никто гарантировать не может. Результат может перечеркнуть всю нашу работу.» Но Саша все равно колебался. Тем не менее, он в конечном счете принял всё и со всем согласился и мне об этом написал.

Во всей этой достаточно непростой истории были два обстоятельства, сейчас я о них расскажу.

В начале все того же 1988 года Саша прислал мне письмо как бы от июня 1982 года. Если бы это письмо Саши было бы по каким-то причинам изъято у меня — из него и из прилагаемого плана Поросенкова лога следовало бы, что могила Романовых находится в том месте на краю лога, где новая асфальтовая дорога соединяется со старой, насыпной. Этим письмом Саша предлагал мне в предстоящей публикации сместить подлинное место захоронения в сторону, метров на пятьсот. Когда я готовил материал для журнала «Родина» — я так и сделал. Опасения Саши оказались не напрасными. Я еще вернусь к этой истории.

Второе обстоятельство заключалось в том,

что у нас с Сашей был общий знакомый, священник. В уже упоминавшемся письме Саша сообщил мне, что батюшка крайне недоволен моими движениями в прессе и все время подвигает Сашу на аналогичные подвиги. «Смотрите, вся слава достанется Рябову!» — восклицал о. Н. В свою очередь здесь, в Москве, всячески внушал мне, что Саше верить не стоит и что Саша «непременно меня опередит».

Всё это мало способствовало делу. Батюшка, увы, слишком земно воспринимал и понимал нашу работу, он искренне полагал, что я и Саша желаем, чтобы меч Английской королевы опустился на наши плечи и самые почетные награды увенчали наши ... шеи? Наверное, так?

Цели наши были другими. Наград мы не жаждали.

Но кошка, увы, пробежала.

В православно-философском журнале Виктора Аксючица «Выбор» я опубликовал свой сценарий о гибели Царской Семьи. Виктор был одним из весьма немногих в те времена, кто безоговорочно мне поверил и искренне поддержал. Позже он даже пытался профинансировать фильм о Романовых по моему сценарию, но по причинам независящим продолжить эту работу не смог.

И вот наступил день разрешения. Мне позвонили из газеты «Московские новости». Пожалуй, в те времена эта газета была наиболее читаемой и популярной. У ее стендов всегда стояли толпы жаждущих узнать правду.

Ко мне приехал корреспондент: высокий, чуть согбенный, с растрепанной головой, в очках — типичный интеллигент всех российских времен. Речь медленная, голос тихий, сам — въедливый, точный — он слушал с плохо скрытым интересом (мне показалось, что невозмутимость он полагал важнейшим профессиональным качеством) и почти ничего не записывал. Через несколько дней «Московские новости» опубликовали мое интервью: «Земля выдала тайну». В качестве доказательства был опубликован снимок черепа, который мы полагали принадлежащим Государю.

Я приехал на Пушкинскую площадь. У стендов толпилось множество людей, я услышал восторженные оценки и замечания — интерес был неподдельным.

Но звучали и другие слова. «Кому это всё нужно?» «Зачем ворошить то, что давно прошло?» «Антисоветская выходка... Их нужно привлечь за это!»

Я не стал являться в образе мученика и правдолюбца и тихо удалился.

Работа продолжалась — я готовил к публикации большой материал о трагедии в Екатеринбурге.

В марте 1988 года я опубликовал в журнале «Юность» очерк «Сколько лиц у милиции?» Речь шла о том, что система МВД СССР сгнила на корню — по многим и разным причинам. После Щелокова ею руководили вполне случайные люди (и по сию пору руководят), и никто даже не попытался задать вопрос: а чем же отличается МВД 1988 года от МВД времен императорских? Техникой? Обилием кадров? Засоренностью, неизбывной и удивительной? Мздоимством и преступными наклонностями? Техника и компьютеры — дело хорошее, но еще Остап Бендер говорил: нужна плодотворная дебютная идея.

Таковой не было и на горизонте. Все шло по старинке, по инерции.

Материал трижды снимал ЦК КПСС, но и Дементьев, и его замы — все стояли насмерть. И вот — самый читаемый (на 3-м месте) материал на территории СССР.

После публикации я удостоился суждения главного идеолога страны товарища Лигачева. Он назвал меня «врагом народа». Все газеты МВД СССР обозначили меня идиомом: «предатель интересов службы».

Я был уверен, что «Юность» жертвенно и убежденно опубликует очерк о Романовых.

Увы...

Человеческий хребет имеет свой предел. Кому какой «положон», значит...

И тогда я обратился в «Родину».

Материал шел трудно. Редактор отдела — полная, грузная, весьма профессиональная дама — все время требовала от меня каких-то исправлений, переделок. Мне казалось, что она боится этого материала. Она давала его читать историкам, публицистам, суждения бывали подчас прямо противоположные — мне сложно было угнаться разом за всеми. Я с тоской вспоминал свою работу в кино. Там редактор — выше и больше господа бога, а редакционные коллегии всех уровней — святая инквизиция былых времен. Пройти через и сквозь эти, в основном дамские, синклиты было совершенно невозможно. От сценария оставались рожки да ножки — стоит ли удивляться тому, что режиссер-конформист заранее настраивал себя на то, что его фильм должен безусловно понравиться старцам со Старой площади.

Люди моего возраста помнят: фильмы Тарковского в те времена (да и в нынешние, чего уж...) взрывались, словно бомба. Они всегда шли поперек, вразрез.

Большинству же приходилось мириться и довольствоваться.

...Я утомился, изнервничался и... порвал материал в клочки. Моя жена позвонила заместителю главного редактора, Володе Долматову. Отдаю должное этому в общем-то совершенно мне тогда незнакомому человеку: всю ответственность он взял на себя. Материал был восстановлен. Володя рискнул представить его главному редактору «Правды» Афанасьеву («Родина» тогда была в системе «Правды»). Афанасьев прочитал и наложил резолюцию. Смысл ее был в том, что материал несомненно заслуживает публикации. «Не возьмем мы — опубликуют другие», — написал на обрывке бумаги главный редактор.

...И вдруг звонок, взволнованная жена зовет меня к телефону: «Это с «Мосфильма»! Беру трубку. «Здравствуйте, вас беспокоит режиссер «Мосфильма» Карен Шахназаров». Я знал Карена по его фильмам. Безусловно, симпатичный и даже талантливый опус «Мы из джаза». Прекрасные актеры, трагикомедийно развивающаяся фабула — мне это кино нравилось. «Давайте сделаем нечто о Романовых, их гибели. Напишите сценарий». Карен приехал ко мне, я показал ему весь свой архив: документы, фотографии, мы долго и много говорили о гибели Семьи.

171

Вскоре я написал первый вариант сценария. Рассматривался он еще в прежнем, рутинном порядке: художественный совет, многозначительные выступления. Первый вариант не получил поддержки. «У вас все сосредоточено на подготовке убийства, убийстве — и не только Романовых; вы настаиваете на виновности и целых партий, и отдельных людей — так нельзя! Сосредоточьтесь на отношениях, переживаниях перед смертью...» Я возражал: «Разве в моем сценарии нет живых, полнокровных людей? Отношений? А смерть... Но тогда — о чем мы собираемся делать кино?»

Я никого не убедил. Они стояли на своем, Шахназаров молчал. Я понял: все, что происходит, — дурно поставленная комедия. Даже если режиссер хотел чего-то другого — сравнительно с тем, что представил я — он должен был работать со мной, но не подвергать меня своему «гестапо». В кино всё решает режиссер. Карену н у ж н о было легально провалить сценарий.

Тем не менее — он попросил, а я написал еще два варианта. И вдруг получаю письмо: «Я хотел уведомить вас о своем решении отказаться от постановки фильма по сценарию «Вознесенский проспект», в связи с чем все работы по данному проекту остановлены и к а р т и н а з а к р ы т а» (разрядка моя — *Г.Р.*). Карен писал: «Я не мог в процессе написания киносценария найти приемлемого для себя художественного режиссерского решения литературного сценария, а без этого, как Вы понимаете, снимать картину невозможно. Вероятно, это моя вина или творческая неудача...» Карен всё делал умно, постепенно — он как бы утешал меня.

Шахназаров ссылался в своем письме и на то, что я решил снять свой собственный документальный фильм о Романовых. «У меня в связи с этим нет никаких особых претензий к вам — разумеется, сама тема не может являться ничьей собственностью и возможно появление разных фильмов, рассказывающих историю гибели Романовых. Тем не менее, я решил, что это все же ослабит п о т е н ц и а л с ц е н а р и я «В о з н е с е н с к и й п р о с п е к т», п о с к о л ь- к у п о с л е д н и й в з н а ч и т е л ь н о й с т е- п е н и   о р и е н т и р о в а н   н а   т о ч н у ю, п о ч т и   д о к у м е н т а л ь н у ю   и с т о р и ч- н о с т ь, к о т о р а я, к о н е ч н о, у с т у п и т в с в я з и   с   п о я в л е н и е м   р я д о м   ч и с т о д о к у м е н т а л ь н о г о   ф и л ь м а» (разрядка моя — *Г.Р.*)

В этом письме лукавство, увы...

Начнем с возникновения наших отношений. Мой очерк — в редакции. Откуда Шахназаров узнал о его существовании?

Я упоминал о том, что очерк этот «ходил» по разным кабинетам, был в кабинете Главного редактора «Правды». И это значит, что Карен скорее всего его получил в кабинетах ЦК КПСС. Отец Карена — помощник Генерального секретаря ЦК КПСС.

«Возможно появление разных фильмов», но: «потенциал сценария «Вознесенский проспект» это все же ослабит». Такого профессиональный режиссер кино произнести не может, это произносит человек, добивающийся своих целей.

В чем эти цели?

Шахназаров получил от меня все, что хотел: три варианта, подробнейших, сценария, фотографии, документы, устный мой рассказ обо всем — наконец. Поэтому я ему больше не нужен. У него есть свой собственный, всегда при нем находящийся автор, Бородянский, человек, несомненно, и талантливый и Шахназарова знающий, а посему — оба они друг друга понимают с полуслова.

В этом во всем не было бы особого греха, если бы... Если бы Карен Шахназаров не затеял все это только для того, чтобы без затруднений и хлопот предоставить своему автору весь необходимый материал для создания совсем другого сценария. Это — предположение, но оно обосновано. Я уверен, что так и было.

«Цареубийца», снятый по сценарию Бородянского, рассказывает о том, как некий шизофреник, находящийся на излечении в сумасшедшем доме, воображает себя убийцей Семьи Романовых — Юровским и заражает этим сумасшествием своего лечащего врача-психиатора, который начинает воображать себя Николаем II. Это и есть тот самый «ход», «поворот», ради которого затеял Шахназаров интригу со мной.

Зачем это понадобилось? Рискну предположить (будем считать, что это всего лишь предположение), что фильм об убийстве Семьи было начисто невозможен для Карена Шахназарова. Отец — помощник Горбачева. Все проросло связями в ЦК и его Президиуме. И что же — рассказ — жесткий и нелицеприятный, бьющий по мозгам и нервам — о том, как ленинцы, большевики уничтожили ни в чем не повинных людей?

Никогда! Для этого — самое малое — Горбачев должен был публично признать, что Ленин и его партия — палачи, убийцы, растлители. Горбачев даже не намекал на это. Шахназаров не мог решиться снять «прямой» фильм. И снял кино о психиатрической проблеме — сугестии (внушении и внушаемости) — с одной стороны, а с другой — не обидел своих родных, Горбачева, ЦК КПСС в целом. На самом деле: ведь все, что происходит в фильме — это воображение психов, это виртуальная реальность, то есть то, чего н и к о г д а н е б ы л о! Шахназаров и рыбку съел и шкурку оставил!

Это надобно и уметь и суметь, отдаю должное... Но даже если предположить, что Бородянский и Шахназаров сознательно помещают «надежнейшего коммуниста» Юровского не в Кремлевскую больницу, где тот действительно умирал от прободной язвы желудка, а в психушку, и настоящий Юровский заражает своим сумасшествием лечащего врача — это не «ход». Это ахинея и наивная попытка уйти от ответственности — «если что».

В многочисленных интервью создатели фильма «Цареубийца» настойчиво повторяли: тема эта глубоко взволновала каждого из них много лет назад. И материал для фильма тоже собирался много-много лет. Оставляю все это на совести Шахназарова и Бородянского.

И когда нынешний директор «Мосфильма», Карен Шахназаров, публично заявляет на НТВ о том, что Останки Романовых вызывают лично у него, знатока романовской проблематики, большое сомнение, что же... Будем ожидать нового фантастического фильма. Карен это умеет...

...Я рассказываю обо всем об этом не для того, чтобы поковыряться в прошлом и лишний раз вздохнуть о несовершенстве мира сего. Просто я думаю, что вокруг царской Семьи есть и будет еще столь великое множество спекуляций, «откровений» и прочей белиберды, что много раз еще придется удивляться и огорчаться.

Такова эта проблема в стране умирающей, в обществе, поглощенном либо воровством и коррупцией, либо добыванием хлеба насущного ради жизни.

Толя Иванов рассказал мне, что, увидев однажды Карена Шахназарова в ресторане Дома Кино, подошел к нему и сказал: «Хорошо, Карен, что я — не Рябов. Я бы тебе — рыло-то своротил!»

О, кино, кино...

Спустя год Толя поступил со мною точно так же. В советском кинематографе подобные отношения между субъектами кинопроцесса — норма.

Покойный ныне режиссер и оператор Евгений Николаевич Андриканис (он снимал первую нашу с А. П. Нагорным картину) верил, что иначе и быть не может и всегда повторял: «У нас в кино как? А так: оглянись вокруг себя — не е... ли кто тебя».

Помните? «Картина закрыта», — писал мне Шахназаров. Ан — нет...

Помните? «... сама тема не может являться ничьей собственностью и возможно появление разных фильмов»... Оказывается, это не столько мне в утешение, сколько в обоснование всего последующего.

* * *

Публикация в «Родине» воистину взорвала общественное мнение. Редакционная почта содержала все: от яростного и непримиримого неприятия до предложения... пенсии — на будущий памятник Романовым. В общем читатели по-доброму отнеслись к этой публикации, я услышал много сочувственных слов.

В мае «Родина» опубликовала вторую, пожалуй, главную часть расследования. Здесь уже шла речь о координатах захоронения, его исследовании. Замечание Саши я, естественно, принял к исполнению. И вот — я получил письмо из Свердловска. Мне всегда казалось, что получил я его почти сразу же — в мае-июне. Нет. Память меня подвела. Письмо пришло в ноябре, скоро и второе. Я лишний раз подивился прозорливости Саши и собственной едва не случившейся неосторожности.

Два свердловских краеведа, Галаган Павел Иванович и Брюханов Александр Тимофеевич писали мне о том, что указанное мною место раскопано тяжелой строительной техникой, а грунт — вывезен. Слова они подтвердили планом местности и фотографиями.

Совпадений не бывает. У меня нет никаких сомнений в том, что КГБ — пусть с некоторым запозданием — решил взяться за дело и ликвидировать результат нашего труда. Навсегда.

...Много позже я узнал (достоверно, не на уровне домыслов и предположений) о том, что сразу же после моего интервью и публикации в «Родине» КГБ поставил меня на оперативное обслуживание: перлюстрировалась моя корресподенция, прослушивались телефонные разговоры, наверное — отрабатывались связи, и использовалась «наружка». Но этого, последнего, я естественно, утверждать не могу. «Наружки» за собою я не заметил ни разу. Слава Богу, ни в письмах, ни в телефонных разговорах место захоронения не обозначалось. Не будь этого — не было бы и всего последующего.

Мне начали звонить... Романовы. Это были племянники, племянницы, сыновья и дочери «уцелевших» Романовых. Я разговаривал вежливо, сочувственно, но ни с кем не встречался.

Однажды раздался звонок в дверь и появилась среднестатистическая женщина из Крыма с молодым человеком лет восемнадцати. Симпатичный молодой человек...

— Я — дочь спасшегося Алексея Николаевича, — уверенно заявила женщина. — Алексей Николаевич спасся из-под расстрела, потом обрел семью — я дитя этой семьи.

Мальчик молчал, я попросил рассказать о подробностях — кто, что, как.

Она молчала. Наверное — позабыла, что ж еще...

Мы распрощались.

Позже я всех желающих такого рода отсылал к следователю, В.Н. Соловьеву. Что он делал с ними и принимал ли их, — не знаю.

Так хотелось сделать фильм. О наших поисках. О судьбе Романовых. О причинах трагедии и последствий оной. О том, как это все было. Попытался помочь Аксючиц. Увы... У него и его предприятия не нашлось таких денег. Кино стоит дорого.

Моя скромная персона вдруг заинтересовала газеты, журналы, телевидение. О поисках Романовых писали на западе, в Америке. Однажды мне позвонил Игорь Виноградов, мой добрый знакомый, известный критик и литературовед, и сказал, что у него гостит итальянка, знаток русского языка, Мариолина де Зулиани. Мариолина очень интересуется Романовыми и хочет снять для итальянской публики сюжет. Я соглашаюсь, вскоре у меня появляется очаровательная дама средних лет, живая, непосредственная, со знакомой по фильмам итальянского неореализма жестикуляцией. Она с неподдельным интересом расспрашивает меня, ее оператор снимает этот разговор на видео. Мы знакомимся. «Толя Иванов», — представляется он, и я вспоминаю фильм ленинградского режиссера Титова, по роману Каверина «Открытая книга». Редкостно профессиональная операторская работа, пожалуй, даже — вдохновенная. Когда прощаемся, я говорю: сделаем документально-художественное кино о крушении Династии? Он согласен, мы начинаем общаться, почти дружить, все мои рассказы он снимает на видео, мы даже выезжаем на подмосковные просторы, в леса — там попадается натура, похожая на Урочище четырех братьев, и Толя снимает, снимает. Чуть позже он отправится по своим делам в Америку. Привезет мне оттуда множество эмигрантских изданий и расскажет о том, как эмигранты Первой волны смотрели отснятый материал и плакали.

Толю знают в мире кино гораздо лучше и гораздо больше, нежели меня. У Толи — связи, его любят, ценят, он мгновенно находит на

Ленфильме директора будущей картины (это крайне важно), он находит кинофирму, готовую взяться за производство. Фирма берет деньги у Диалог-банка, три миллиона. По тем временам — огромные деньги. Кажется, все в порядке. Так возникают «Претерпевшие до конца».

Я впервые в жизни оказываюсь в роли и автора сценария и режиссера. Немного страшновато. Я все знаю о кино, но взяться самому... Ничего... Вокруг заинтересованные, бескорыстные люди. Они помогут. Как сказал поэт — «весь горизонт в огне и ясен нестерпимо».

Толя познакомил меня с художником будущего фильма и с художником по костюмам. Это супружеская чета, милые люди.

Едем в Ленинград. Я бывал на Ленфильме, но теперь все по-другому. В группе со мною почтительны, со вторым режиссером мы ходим и бродим по историческим местам Ленинграда, я говорю без умолку, она слушает, искренне, с интересом, но иногда мне кажется, будто эта милая женщина хочет мне сказать: «Говорите вы прекрасно. Но чтобы стать режиссером...»

Мы летим в Пермь. Здесь погиб брат Государя, Михаил Александрович, его шофер Борунов, секретарь Джонсон. Наш фильм должен проследить послереволюционную судьбу всех Романовых.

Странный город... Плоская равнина, то тут, то там из земли вылезают заводские трубы, в воздухе разлился неуловимый запах химического завода. Иногда трудно дышать.

Нас везут к знаменитым «Королевским номерам». Здесь жил со своими людьми Великий князь, отсюда его увезли. Номеров нет. Руины. Грязь.

Одна из версий утверждает, что всех троих отправили на Мотовихлинский плавильный завод. Там убили и бросили в печь. Стерли со списка бытия...

Едем. Улица устремляется вниз, это все еще старый район города, с этой стороны, внешне, завод не претерпел никаких изменений. И конечно же, площадь называется: имени Розали Землячки. Вместе с венгерским коммунистом, другом Ленина, Белом Куном — эта ревдама расстреляла в Крыму 100 тысяч врангельцев. Эти солдаты и офицеры остались на полуострове добровольно, от имени Ленина им были обещаны прощение и свобода.

Здесь странно и страшно стоять. Работает воображение. Что чувствует ни в чем не повинный человек, когда из печи хлещет ему в лицо жаркое пламя и он понимает: жизнь прошла. А тело... Оно сейчас полыхнет короткой вспышкой — и все...

Михаил Андреевич Волков, камердинер Государя, рассказал — со слов камердинера Великого князя Михаила — Челышева (Волков и Челышев вместе сидели в Пермской тюрьме) о том, что произнес один из тех, кто пришел в номер Великого князя поздней ночью: «А вы, Романовы, надоели вы нам все!»

Как просто все... Надоел человек — и нет человека. Революция и в самом деле раскрепощает человеческое естество. Обнажает истину.

Мы перелетели в Свердловск. Жить, естественно, негде, пока администрация бегала по начальникам, мы стояли на улице, отсюда начинались низенькие деревянные домики предместий. В одном из дворов резали свинью к празднику, она верещала безумным голосом. В такой обстановке легко настроиться на трагедию...

Поросенков лог. Пока Толя высматривает удобные точки для съемки, я успеваю показать второму режиссеру «место». Здесь все неузнаваемо изменилось. Знаменитый куст над могилой исчез, переезд через железнодорожные пути — тоже, лес вырублен. И поэтому реппера — нет. Но каким-то немыслимым, нечеловеческим чутьем я нахожу яму. Под ногой — шпала, она совсем неглубоко.

— Вот, — говорю, — здесь бросили Их в землю. В дорогу.

Глаза у бедной Наталии Викторовны раскрываются широко-широко, она судорожно вскидывает руку, мелко крестится, «Господи...» — только и произносит.

...Потом мы спускаемся в ствол Открытой шахты, ставим на ее дно множество свечей. Они тихо потрескивают, я рассказываю, Толя снимает. Ганина яма. Здесь уже кто-то копал — видны комки свежевыброшенной земли. Я был прав. Уже нашлись «охотники». Их с каждым днем будет все больше и больше.

Мои спутники молчат, они подавлены, соприкосновение с подобной историей Отечества вряд ли может принести положительные эмоции. Мы слишком долго ничего не знали, и правда сваливается на нас, словно огромный беспощадный камень.

У этого фильма сложная и несчастная судьба. Как некогда о.Н. пытался внушить Саше, что речь идет, главным образом, о личном первенстве, успехе — так и теперь художник по костюмам и его супруга атакуют Толю, страстно и напористо: «Ты снимаешь бенефис Рябова! А где ты? Ты разве хуже?»

Так действуют во всем мире. Принцип «разделяй и властвуй» покоряет все народы. Но только в нашей несчастной стране он уже дал и еще даст результаты небывалые, необъяснимые...

Толя бычится, мрачнеет, начинает спорить по любому поводу. Его, увы, «завели».

И когда в одном из залов Русского музея, в дворцовом интерьере, среди картин XVIII века уходит в глубь анфилады светловолосый мальчик в гимнастерке, со свечой в руках, а за ним, словно во сне, движется Государь, пытаясь догнать, прижать к груди и не может догнать, когда Царь останавливается перед своим портретом и смотрит, смотрит, не в силах оторваться, и мы видим, что то не последний наш Государь, не Николай Александрович, а Петр Алексеевич, в гробу, с закрытыми глазами, — я перехватываю взгляд Толи из-за камеры, потом Наталии Викторовны и вдруг понимаю: кино закончилось. Того, что задумал я, — не будет никогда...

Но мы еще успеваем снять две главные сцены: Государя и Семью привозят в дом Ипатьева, толпа вокруг, крики злобы и ненависти. И расстрел.

Мы слишком долго не знали — что это такое. Воображение рисовало нечто ужасное, непереносимое. И мы сняли все так, как, вероятно, и было: выстрелы, озлобленные, не-

183

рвные лица палачей, вспышки из револьверных стволов, крики и мятущийся в глазах жертв смертный ужас, удары штыками...

Сейчас я понимаю, что то была принципиальная ошибка. Подобная съемка в целом вызывает не тот ужас, который некогда рекомендовал Аристотель. Это ужас отвращения, но не очищения, катарсиса.

Когда пришло время — в фильме «Конь белый» — я снял эту сцену совсем по-другому.

Дарохранительницу с ее содержимым я передал о.А. — мягкому, с тихим голосом священнику, с ним меня познакомил Игорь Виноградов. Батюшка мне понравился. Он вызывал безусловное доверие.

С его помощью я обратился к Русской Православной Церкви Заграницей. Я написал подробнейшее письмо, никому конкретно его, впрочем, не адресуя. Я просил о помощи. Я говорил о том, что обретение Останков Царской Семьи — общее дело, дело Семьи, всех честных людей и, особенно, тех, кто еще жив после Великого исхода с прежней родины.

Я получил сочувственный ответ бывшего члена Св. Синода епископа Григория. Он был очень стар, немощен, но помощь — по мере сил — обещал. «Вы сделали великое дело», — писал он мне. В прошлой жизни он был полковник Граббе. Может быть, мой отец встречался с ним во время междуусобной бойни?

Мне хотелось привлечь внимание нашей, «советской» церкви. Я не знал, как к этому подступиться. Батюшка мой, отец А., не склонен был к общению с отечественной иерархией. Просить его об этом — я знал — было совершенно бессмысленно. Батюшка на дух не переносил огосударственность церкви, крайне отрицательно относился к давнему сотрудничеству Иерархии с коммунистической богоборческой властью. «Те митрополиты и епископы, — говорил батюшка, — которые боролись с этой властью словом Божьим, — давно на Небесах. Потом — «обновленцы», гвардия Антихриста. Потом — соглашатели и подсевайлы. Ничего они не сделают. И нечего к ним обращаться. Только хуже будет. Они все сотрудничают с КГБ». Я пытался возражать: «Но ведь и вы сами — в этом патриархате.» Он отрицательно качал головой: «Я служу Господу. А эти...» — и замолкал.

...Через несколько лет я увидел о.А. за одним столом, в президиуме, с Геннадием Андреевичем Зюгановым.

Я понимаю: о.А. окончательно вывела из себя лживая, пустая, бессодержательная и алчная власть. Во многом — похлеще предшественников. Это верно.

Но ведь Геннадий Андреевич ни от чего не отказался, ничего и никого не осудил. Для Зюганова — были «отдельные ошибки» в прошлом, не более. Это означает, что, окажись Геннадий Андреевич «на посту»...

«Стрёмно это», — как сказали бы некогда сидельцы Севураллага.

Мой священник — ничего, сидел, насупившись, и...

Зачем, батюшка?

Сегодня все так близко, так реально...

Хочется пройтись по этапу?

Коммунисты союзников и попутчиков некогда семь раз изничтожали.

У них традиция такая.

Изничтожат и в этот раз — если...

Одна надежда — не попустит Господь.

...Моя жена некогда была редактором писателя Николая Самвеляна. Она позвонила ему, мы встретились. Самвелян откликнулся охотно: «Вы правы, без церкви здесь ничего не сделать. Я представлю вас своему другу, митрополиту...» — и Самвелян назвал громкое имя.

Через несколько дней меня пригласили в Данилов монастырь. В глубине территории я нашел двухэтажный корпус, в нем располагалась подчиненная митрополиту канцелярия. Я явился к назначенному часу и долго ходил по коридору взад-вперед в ожидании приглашения. Наконец появился Преосвященнийший и, проходя мимо, вежливо мне кивнул. Тут же подошел келейник, пригласил в некое помещение со столом для совещаний (видимо, так) и долго и внимательно наблюдал за тем, как я кладу у иконы Спасителя положенные поклоны и крещусь.

— Садитесь, пожалуйста. Владыко приносит извинения, у него весьма срочное дело, оно не терпит отлагательств. Мне поручено выслушать вас.

Внятно, четко рассказываю о нашей находке. О публикациях святой отец все знает. Он слушает внимательно, спокойно, разве что — немного отстраненно. Я ожидал узреть в очах — ну, если не пламень, то уж простую заинтересованность — нет. Безразличные глаза. Он даже не спрашивает — уверен ли я в «качестве» своей находке. Долго молчит, опустив глаза. Наконец произносит:

— Церковь только обретает свободу, независимость (это 1989 год — горбачевская перестройка медленно затухает). Я надеюсь — вы все правильно понимаете?

— Что, отче?

— Мы только что встали на ноги. А вы предлагаете весьма сомнительный материал, обстоятельства, вы словно желаете, чтобы церковь вновь оказалась в кандалах?

— Я этого не хочу. Проверьте все. Вместе. Со мною. Без меня. Я все вам представлю. Если я и мои сотоварищи неправы — что ж... Но если все подтвердится?

— Нет. Мы не можем сейчас рисковать.

И здесь я допускаю редкостную бестактность. Я говорю:

— Но, отче, Господь наш Иисус Христос на крест взошел за нас, за правду, за то, чтобы мы все перестали быть рабами. Разве нет?

Он смотрит почти сочувственно. Я — душевнобольной. Говорит:

— Глупости произносить — просто. Это — все.

Я ухожу не солоно хлебавши. Я разочарован так, как только может быть разочарован известный литературный персонаж. Помните? «Я верил в вас, как в Бога, — произносит Артур («Овод») — а вы лгали мне всю жизнь». Он говорит это самому близкому человеку. Кардиналу Монтанелли.

Очень похоже, увы...

...Через полгода я оказываюсь в гостях еще у одного высокопоставленного служителя церкви. В его резиденции. Мы, помнится, пьем чай, Владыко доброжелателен, он сочувствует идее идентификации останков и торжественных похорон, по его поручению я встречаюсь в ресторане «Центральный» с писателем Владимиром Солоухиным, еще с кем-то... Мы ведем за трапезой долгий, весьма общий, разговор, Солоухин вежлив, выдержан, но я чувствую, что он не верит ни одному моему слову.

Еще один представитель церкви звонит мне. Молодой голос:

— Это — иеродьякон Дионисий. Давайте встретимся.

Он назначает мне встречу у памятника Грибоедову. Приезжаю, выхожу из метро, на скамейке молодой человек в красной рубашке, несколько девиц разного возраста.

— Это — я, — произносит он и протягивает руку. — Я принадлежу к Зарубежной церкви. Я предлагаю создать православную комиссию по индентификации и захоронению останков. Средства мы найдем.

Я соглашаюсь. Первое заседание «комиссии» происходит в каком-то подвале неподалеку от Ленинского проспекта. Я и моя жена — мы становимся членами «комиссии».

Отдаю должное Дионисию: все, что можно было опубликовать о Романовых, поисках, находке, — он опубликовал в самиздатовском сборнике, и не в одном. Я рассказал, что мы с Толей Ивановым собираемся снять кино о гибели Династии, но денег мало, средств даже на аренду видеокамеры «Бетакам-СП» у нас нет.

— О, это пустяки! — радостно произносит Дионисий. — Мне такую камеру подарили друзья из-за рубежа, я отдам вам ее бесплатно.

Толя Иванов — без комплексов. На одной из встреч с Дионисием он радушно приглашает:

— Айда в Дом кино. Отличный ресторан, меня там любят, за приятной пищей и поговорим...

Я с некоторым недоумением жду, что ответит Дионисий. Он ведь... монах. Он сам так себя называет. Так называют его друзья.

Он радостно соглашается.

В уголке ресторана Дома кино мы говорим о чем угодно, но только не о Романовых. Дионисий просит называть его «Денисом» и вовсю дымит сигаретами, прикуривая одну за другой.

Еще месяц я жду терпеливо обещанной кинокамеры.

Рьен...

Через полгода примерно кто-то догоняет меня на улице. Это... Дионисий. Он в священнической рясе, с наперстным крестом на груди.

— Вот... — потупляет глаза. — Специально приезжал... оттуда, понимаете? Иерарх. Он меня... ну — я был рукоположен.

Я сдержанно поздравляю.

О камере и съемках — ни слова.... Во время той еще примечательной встречи в ресторане случилось нечто совершенно невозможное. Когда Денис и его компания отправились помыть руки, к столику приблизился молодой человек неопределенной наружности и положил передо мной на стол шариковую ручку и лист бумаги.

— Напишите цифру и столько нулей после нее, сколько пожелаете. Это реально. Это — доллары. Или любая другая валюта.

— А взамен? — улыбнулся я. Шутка. Наверное...

— Вы объявите, что ничего не нашли, что это все — инсинуация, вас обгадят с ног до головы, но игра стоит свеч...

— Зачем это?

— А вы не понимаете? Не прикидывайтесь... Поедете, все уничтожите, костяков нет — ничего нет. И не было никогда... — он смотрел сквозь прищуренный глаз.

— Нет.

Он пожал плечами и ушел. Взволнованный Иванов взглянул на меня немного испуганно и сказал:

— Я знаком с Крючковым. Прямо сейчас поедем на Лубянку. Это наверняка — засланец!

Я с трудом убедил Толю в том, что это не засланец, а умалишенный. Но на душе заскребли кошки...

Два молодых человека явились ко мне и представились «посланцами» Русской Зарубежной церкви.

— Отдайте нам частицу мощей. У вас ведь есть.

«Мощей» у меня нет, но они настойчивы, и я отдаю им один маленький пакетик с черной землей из раскопа.

Девицы из окружения Дионисия просят у меня «частицу» еще более настойчиво.

— Без этого не будет ни денег, ни видеокамеры, — говорят они.

Меня посетил священник Глеб Якунин, известный диссидент, он сидел, его лишали сана — он заслуживал в моих глазах всяческого уважения. Мы долго беседовали. О. Глеб прочитал мои «обращения» в ЦК, еще куда-то и возмущенно воскликнул: «Разве к... этим так надобно обращаться? Так писать? Господь с вами...»

Я в тот момент еще пребывал в иллюзиях.

Мне никогда не приходило в голову, что я стану «центром», вокруг которого будет вращаться целый рой странных личностей. Толку от этих людей не было ровно никакого, один шум и треск, но я не прогонял их. У меня не было опыта.

Но появлялись и истинные доброжелатели. Один из них уговорил владельца частного ресторана принять сонм одержимых разного рода идеями интеллигентов, накормить, а потом устроить аукцион. Вдруг какая-то идея понравится денежному мешку (этих тоже пригласили) и он... купит ее. Никто ничего не купил, когда же доброжелатель огласил мое предложение, в зале начали дружно зевать.

Потом все пошли перекусить и выпить.

Мне явно не везло.

Игорь Виноградов (он способствовал возникновению интервью в «Московских новостях») собрал у себя дома своих друзей и попросил меня рассказать о поисках останков, о том, как они были обнаружены.

Никого из присутствующих я не помню. Только Фазиля Искандера. Он слушал так внимательно и так заинтересованно, что я рассказывал, пожалуй, только ему одному. По-моему, на остальных мой рассказ не произвел ровным счетом никакого впечатления.

Искандер спросил:

— А вот эти стихи вы знаете? «Эмалевый крестик в петлице и серой тужурки сукно...»

Я не знал. Он дочитал до конца. Удивительные стихи Георгия Иванова. Человечные, пронзительные, горестные. Я вспомнил портрет Государя работы Серова. Царь сидит с сомкнутыми руками, на нем эта самая серая тужурка. А в глазах...

И Император сходит с трона,
Простивши всех, со всем простясь.
И меркнет царская корона,
В февральскую скатившись грязь.

Это тоже Георгий Иванов. Это — много позже. Я прочитал эти строки и вспомнил заголовок выставки в музее Революции: «Великий февраль». Наверное, музейщики были невероятно горды возможностью впервые вот так назвать «буржуазную революцию».

Георгий Иванов, очевидец, называл ее иначе.

Мы с женой продолжали бывать у Виноградовых; Мариолина в связи с предполагавшейся книгой о Романовых задержалась в Москве надолго. По мужу она была графиня Мордзотто, этот титул достался предкам ее мужа от короля Италии — по просьбе Муссолини. Мариолина дружила со многими советскими диссидентами, у нее в Венеции гостил поэт Бродский. Мои рассказы о поисках захоронения Романовых ее вдохновляли, она пригласила меня и мою жену в Венецию, погостить. Кроме этого, я должен был проконсультировать ее будущую книгу.

Венеция...

Мы приехали из совдепии, мы ничего не знали и даже представить себе не могли, что можно жить так красиво-содержательно. Сегодня это почти не интересно, это общеизвестно, но есть в Венеции маленький кусочек прежней России, о котором я не могу не рассказать.

Напротив площади святого Марка, на другой стороне залива — остров сан-Мигель. Это огромное кладбище за высокой кирпичной стеной, под вечнозелеными деревьями, с могилами, непривычными русскому глазу: эти могилы в стене.

Мы прибыли на этот остров днем, в одиночестве сошли по зыбким мосткам на берег, миновали ворота и железную калитку. Здесь можно было бродить вечность и не уставать, здесь было тихо и благостно, мы шли в задумчивости и вдруг увидели невысокую ограду, зеленое пространство за ней и могилы с русскими надписями.

Здесь лежал знаменитый Дягилев. Неподалеку — Стравинский. Я подумал, Анна Ахматова, конечно же, права. Помните? «Нет, и не под чуждым небосводом, И не под защитой чуждых крыл, — Я была тогда с моим народом, там, где мой народ, к несчастью, был.» Это — «Реквием», это — 1961 год. Анна Андреевна имела право написать эти строки. Всю жизнь она утверждала свое право на свою Родину — кто бы ею ни правил. В 1922 году она беспощадно произнесла: «Но вечно жалок мне изгнанник, как заключенный, как больной. Темна твоя дорога, странник, Полынью пахнет хлеб чужой». Ахматова гордилась теми, немногими, кто остался и погиб: «А здесь, в глухом чаду пожара Остаток юности губя, Мы не единого удара Не отклонили от себя». Я помнил эти строки. Я знал их наизусь. Но я не посмел произнести их у этих могил даже мысленно. Я вдруг засомневался: разве Родина — это то, что под ногами? Разве это не то, что в сердце, в душе? Тот, кто мог бороться с ГПУ, — тот остался. Анна Андреевна — поэт. «Поэт в России — больше, чем поэт...» Она смогла. А эти двое и сонм других — ушли. На заре туманной юности поэт Бродский утверждал: «... на Васильевский остров я приду умирать». Но не пришел. И навсегда остался рядом с Дягилевым и Стравинским. На кладбище сан-Мигель. Не на Новодевичьем, куда притащили Шаляпина. Слава Богу, что не смогли притащить Сергея Рахманинова. И Тарковского.

...Удивительная поездка. О Романовых здесь никто и ничего не знал.

Здесь уже давно не помнили Муссолини. Разве что сверхмонументальный вокзал в Милане напоминал о дуче.

А мы о товарище Сталине помним до сих пор. Даже о Ленине. Мавзолей не дает забыть.

...Потом мы поехали в Падую, я увидел фрески Джотто. Иуда поцеловал Господа и тем указал на Него страже кесаря. Странно это все... Не я первый замечаю, что предательский, вроде бы, этот поцелуй определил дальнейшее: поругание, Распятие, смерть и Воскресение. Может быть — Иуда выполнял свой долг? Я сейчас согласен с этой некогда услышанной сентенцией. Надобно выполнить свой долг. Вопреки всему. И несмотря ни на что.

Вечером интеллигенция Падуи чествовала Мариолину в связи с книгой о Романовых. Я сидел за столиком рядом с профессором славистики; когда Мариолина произнесла с трибуны фамилию Горбачева — ну, как же, все позволил, хороший человек, — я сказал на дурном итальянском: Горбачев — кане инфернале. Мой сосед взлетел к потолку и заорал на весь зал: «Господин Рябов говорит, что Горбачев — сатанинская собака!»

...Когда закончились тосты и поздравления, мы возвратились в Венецию. Мариолина сказала: «Ты — сумасшедший. Неужели не понимаешь? Тебе наденут наручники, когда ты будешь спускаться с трапа самолета в Москве, а меня в Москву вообще больше не пустят!» Я ответил:

— Вот видишь... Перестройка — перестройкой, а наручники... Они пребудут в России во веки веков.

Но распрощались мы почти дружески.

Я назвал Горбачева так, как он, наверное, не заслуживал. Я просто не знал других слов по-итальянски. Но слова эти прозвучали не случайно.

Вскоре после публикации в «Родине» раздался у меня дома телефонный звонок. Вежливый мужской голос объяснил, что звонят из ЦК КППСС, из Идеологической комиссии. «Мы самым внимательным образом ознакомились с вашим выступлением в журнале «Родина». Приходите. Есть вопросы».

Естественно, я пошел. Мне было интересно, я еще пребывал в иллюзиях. И вот — улица Куйбышева, проход-ворота, офицер КГБ. Объясняю — куда и зачем. Отвечает: «Вам нужен пропуск. Вероятно, он вам заказан». Иду за пропуском. Возвращаюсь. Прямо, потом налево, среди зданий XIX — начала XX века одно, ультрасовременное, как крейсер среди старых пароходов. Снова офицер КГБ, лифт, этаж — не помню, какой — и кабинет. Молодые, вежливые, доброжелательные. Пьем чай с сушками, ведем неторопливый разговор. Главное:

— Михаил Сергеевич сказал, что в стране разлит бензин. Спички достаточно, чтобы все взорвалось. Вы не находите, что ваша публикация из разряда тех самых спичек?

— Не нахожу. Яма, в которой лежат Романовы, — факт истории и нашей с вами жизни. С этим что-то делать надо.

Они переглянулись, один из них говорит: «Гелий Трофимович, напишите Михаилу Сергеевичу подробное письмо». Я возвращаюсь домой и сочиняю подробное письмо. Я рассказываю, как были найдены останки царской семьи (пишу с прописных букв, чтобы не раздражать Главного коммуниста страны). Я привожу доказательства, доводы — почему, по моему глубочайшему убеждению, Романовых надобно похоронить достойно. Я пытаюсь убедить Горбачева в том, что он может «погасить» мою личную спичку: исследовать останки, предать их земле. Это не забудется — стенаю я.

Запечатываю, пишу торжественный адрес, отношу в приемную ЦК КПСС. Письмо у меня берут. Ответа нет. Я жду его месяц, два, три...

В конце концов я понимаю: ответа не будет. Михаил Сергеевич не Христов воин — чего ему подставлять себя под какие-то весьма сомнительные затеи монархического оттенка.

Иерархия — не сочла (правда, в отличие от Горбачева — они воины Христа).

Вокруг проблемы — сплошная болтовня и никакого дела. Я начинаю ощущать гордое одиночество.

Это ощущение иногда рассеивается. Ко мне приехал «Взгляд». Влад Листьев, Любимов, Дима Захаров. Листьев и Любимов не без интереса провели глазами по стенам. Я ожидал — спросят: кто, что...

За долгие годы я собрал несколько портретов и фотографий. Вот Наследник Цесаревич Алексей Николаевич в мундире лейб-гвардии Московского полка. Некогда, до всеобщего грабежа, он, возможно, висел в Александровском дворце Царского села, в комнатах Императрицы. Еще портрет, это копия: Император Николай II запечатлен Наследником, в форме сотника лейбгвардии Атаманского полка — наследник Престола всегда назначался шефом этого полка, как бы по «должности». И фотографии. Большинство — тоже копии. Но есть и подлинники. Среди них — портрет Михаила Александровича, с автографом. Великий князь погиб в Перми. Редкая икона святых Новомученников — Государь, Императрица, дети.

...Был случай — на суде. В Мосгорсуде — точнее. Суть к делу отношения не имеет, но...

Мой оппонент, утверждая мою безнравственность, заявил громко: «У него в кабинете висят на стенах портреты Романовых и даже Николая Второго кровавого!»

Председательствующий столь же громко отреагировал:

— Понятно. И ясно, что мы можем ожидать от человека, в комнате которого висит Николай II!

...Нет. Промолчали. Зато Дима сказал:

— Я сделаю об этом передачу.

Он сдержал слово, приехал с оператором, я рассказал обо всем, очень волновался — мне не приходилось до этого выступать на ТВ. Разве что давно, во времена «Государственной границы». Тогда разговор перед камерой получился формальным. Этот фильм на критиков и всех причастных не произвел впечатления.

«Государственная граница»... Давно это было, я не думаю, что мои воспоминания в этой своей части представляют хотя бы малейший интерес. Но в фильме прозвучал романс, из-за которого развернулась нешуточная борьба с КГБ СССР. Романс, имеющий и по сей день самое прямое и непосредственное отношение к Царской Семье.

Я работал в Спецохране библиотеки им. Ленина. Я читал и изучал все подряд — о Романовых. О революции. О гражданской войне. Обо всем последующем — вплоть до 1938 года. Все эти события были связаны между собой невидимой цепью. Одно из самых страшных звеньев этой цепи — уничтожение Романовых.

Нравственный облик участников уничтожения Семьи и ее людей не подлежит обсуждению. Обсуждать можно только то, что есть. Как говорят на Востоке, не выльется из кувшина то, чего в нем нет.

У этих людей не было ни совести, ни чести, ни души. Это были человекообразные механизмы, роботы, порожденные сатанинским гением вождя Мирового пролетариата. Один из этих нелюдей вспоминал в 1963 году о том, как безжалостно добивали штыками и достреливали оставшихся в живых Романовых и их горничную Анну Демидову. Меня поразило не это: доведение начатой работы до конца — обыкновенное правило всех палачей во всем мире и во все времена. Не это потрясает. Славный большевистский дедушка с умилением рассказывает: «Красноармеец принес на штыке комнатную собачонку Анастасии — когда мы шли мимо двери (на лестницу во второй этаж) из-за створок раздался протяжный жалобный вой — последний салют императору Всероссийскому. Труп песика бросили рядом с царским.

— Собакам — собачья смерть! — презрительно сказал Голощекин».

Воистину интернационал в презреньи к людям столь не скрыт, что и слов нормальных для оценки всего этого не находится...

Но, согласитесь: в устах убийцы нежное слово «песик» звучит смертным приговором. Не только партии убийц и растлителей, которая все это учинила.

Всем нам.

Мне попала среди прочих весьма любопытная книжка. Ее автор, некто Е.Алферьев (я ничего о нем не знал) собрал множество писем Царской Семьи. Эти письма Романовы писали своим друзьям, родственникам и знакомым после ареста. Книжка так и называлась: «Письма царской семьи из заточения».

На одной из страниц я увидел стихотворение и ноты. Автором стихов был поэт Сергей Бехтеев. Эти стихи он отправил в Тобольск Ольге Николаевне. Когда сибирцы взяли Екатеринбург — в одной из комнат дома Ипатьева нашли на полу листок бумаги. На нем — почерком Ольги Николаевны были написаны стихи. О Сергее Бехтееве тогда никто не знал. Сочли, что это стихи дочери Императора. В дальнейшем их все так и называли: «Молитва Ольги Николаевны».

Нет. Это Бехтеев. Но дело в том, что рядом с текстом были и ноты. Композитор с именем, больше похожим на псевдоним (знатоки так и не смогли рассказать мне — кто этот человек, что еще написал) — Сээсте, создал романс на эти стихи. Кажется, целых три дня я потратил на то, чтобы переписать (перерисовать, точнее) ноты. Я не знаю нотной грамоты. Это была удивительная работа. Прежде всего потому, что хорошо сделать что-нибудь можно только в одном единственном случае: если ты понимаешь — что именно ты делаешь. Я не понимал. Ни бельмеса. Но непостижимое вдохновение, вера, наверное, водили моим пером. Я справился.

Я принес этот романс композитору фильма, Эдуарду Хагагортяну. Он удивился: «Ну, Гелий, три совершенно простейшие ошибки, что с тобой?» — «Я ничего не понимаю в нотах», — ответил я. Он ошеломленно сел: «Но это невозможно! Ты должен был — в таком случае — переврать много-много больше!»

Но я не переврал. Эдик пригласил студентку Консерватории — нужен был специальный голос, меццо-сопрано. Девушка спела нам. Я был потрясен. Ничего подобного я никогда прежде не слышал.

— Понимаешь... — сказал Эдик. — Мы уберем или переделаем вступление. Оно — а ля Бетховен. Эта слабая часть романса, да и никто не поверит, что я смог сочинить такое. Архаика. Так давно никто не пишет. Я кое-что еще, очень деликатно, ничего не меняя в мелодическом ряду, подправлю. Только так мы сможем все это представить на суд... КГБ.

КГБ... Я, признаться, забыл о КГБ.

Хагагортян исправил и записал по-своему, он и в самом деле ничего не изменил для уха дилетантского. Режиссер «Беларусьфильма» Степанов снял сцену с этим романсом в одной из серий «Госграницы» — его мы в нашу тайну не посвятили. Он искренне полагал, что романс — сочинение Эдика.

Фильм привезли на просмотр в КГБ. Первый вопрос: «Это что за романс такой?» Объясняем, никто не удовлетворен. «Товарищи, нельзя, чтобы в эмигрантском ресторане, в Харбине, наша разведчица пела романс на стихи известного советского поэта!» Мы с Нагорным в шоке: «Позвольте, какого еще «поэта»? Назовите!» Полковники мнутся, потом выдвигают следующий довод: «Это — популярный баптистский гимн!» Теперь вступает Хагагортян: «Этот «гимн» — с вашего позволения — написал лично я! А стихи принадлежат авторам!» Полковники переглянулись и... согласились.

Не могу передать свои чувства, когда вначале в Доме кино, в Москве, а потом и по ТВ, на всю страну, зазвучали слова и музыка предсмертных этих стихов...

Пошли нам, Господи, терпенье,
В годину буйных, мрачных дней
Сносить народное гоненье
И пытки наших палачей.

Дай крепость нам, о Боже правый,
Злодейства ближнего прощать,
И крест, тяжелый и кровавый,
С твоею кротостью встречать.

И в дни мятежного волненья,
Когда ограбят нас враги,
Терпеть позор и униженья,
Христос-Спаситель, помоги.

Владыка мира, Бог вселенной,
Благослови молитвой нас
И дай покой душе смиренной
В невыносимый, страшный час.

И у преддверия могилы
Вдохни в уста Твоих рабов
Нечеловеческие силы
Молиться кротко за врагов.
Христос Спаситель, помоги...

Эдуард Хагагортян, Алексей Нагорный, я и все, кто был причастен к этой тайне, ощущали себя... Нет, не победителями в этой микровойне с всемогущим ведомством товарища Дзержинского. Отдаю им должное: пресловутая их «печенка» сработала точно. Не хватило знаний.

Мы чувствовали светлую радость.

Мы вспомнили о наших умученных Государях.

Обо всех, кого кровавая власть обрекла на гибель и муку.

Этот романс исполняла — по ходу действия — певица, агент советской разведки, она пела в переполненном эмигрантами, еще не снявшими погоны, ресторане.

Она пела искренне, истово, душою и сердцем. Она сопереживала Им, этого никто не смог бы отрицать.

И значит она, пусть слишком поздно, но просила у Них и у Бога прощения за содеянное.

И мы все — мы тоже просили.

В этом была победа. Над прошлым. Над собою.

Смерть, где твое жало?

Ад, где твоя победа?

Апостол Иисуса знал все это изначально.

А мы... Мы — узнали. Смысл жизни и в этом тоже, не так ли?

...Свою программу Дима Захаров показал по ТВ. После этого ко мне долго подходили на улице незнакомые люди и сочувственно жали руку.

Между тем съемки фильма «Претерпевшие до конца» продолжались. Осенью 1990 года мы поехали в Алапаевск, снимать историю гибели Великих князей Константиновичей.

По пути заехали в Свердловск. На месте дома Ипатьева кружила толпа человек в двести, стоял памятный крест, произносились речи. Незаметно для меня ко мне подошел Саша, он не знал, что я приехал, а я, каюсь, не сообщил ему об этом. Мы обнялись, прислушиваясь к речам, Саша улыбнулся: «Пойти, что ли, сказать правду?» Я промолчал, он махнул рукой: «Не люблю я эти сборища». Я рассказал о кино, договорились встретиться, но прежней теплоты уже не было. Жаль...

От Свердловска до Алапаевска сто с лишним километров. Дорога всякая — и ничего, и из рук вон. Кое-как доехали, поселились в гостинице. Она здесь была обычная — все удобства в конце коридора. На другое утро решили пройти по городу, посмотреть, подумать.

Алапаевск — обыкновеннейший провинциальный городок. Разве что дом Чайковских (отец композитора был управляющим всех заводов в округе) привлекает внимание своим милым дворянским обликом. А так... Дома современные, такие и в Москве есть; деревянные домики — эти, вероятно, отживают. Люди — медленные, спокойные, с неторопливой речью.

— Цыгане у нас тут... — с тоской в глазах сказал нам начальник милиции. — Поножовщина, кражи. Вот, убийство случилось.

А собор — величествен и прекрасен. В нем — хлебозавод. Мы вошли в двери, оказались под сводами... Хлам, амбре, все переломано, от храма ничего не осталось, от завода — куски железа непонятного назначения.

Мы все это уже видели. Большевики, совет-власть не отличаются разнообразием мышления. До основания — все и вся. А потом...

Этого «потом» не наступит никогда.

Группа разбрелась по магазинам. Здесь торговали дешевыми (по сравнению с Москвой) женскими цветастыми платками, еще чем-то. И никто ничего не знал. В музей Чайковского мне почему-то обращаться не захотелось.

...Но эти улицы, этот собор, эти пыльные и грязные мостовые — они навевали. Не то сон, не то морок одолевал. Не знаю. Неодушевленное, видимо, навсегда сохраняет в себе впечатления разных времен. И когда появляется некто готовый выслушать... увидеть — кто знает? Тогда и стены начинают говорить.

Вот Напольная школа, приземистое кирпичное здание с элементами модерна, окна большие, светлые, наверное, детям здесь было душевно и радостно. Наверное, в эту школу они бежали бегом. Я сравнил фотографию этой школы в 1918 году с современной: ничего не изменилось. Главная деталь: оконные рамы сложного переплета сохранились в неприкосновенности.

В апреле 18-го школа стала тюрьмой. Сюда заключили под стражу сестру Императрицы — Елизавету Федоровну, Великого князя Сергея Михайловича, князей крови Императорской Иоанна, Константина и Игоря — они были сыновьями Константина Константиновича Романова, Великого князя, поэта «К.-Р.» Помните? «Растворил я окно, сердцу стало невмочь...» Эти стихи удостоил своей музыкой Чайковский. Дом Чайковских неподалеку от Напольной школы...

Здесь же содержались крестовая сестра Елизаветы Федоровны по Марфо-Маринской обители инокиня Варвара, секретарь Сергея Михайловича — Федор Михайлович Ремез, а также сын Великого князя Павла Александровича и княгини Ольги Валериановны Пистолькорс (морганатической супруги Великого князя, получившей после замужества титул княгини Палей) — князь Владимир Палей, поэт. Владимир перевел на французский язык драму «К.-Р.» «Царь Иудейский». Автор сказал: «Тебе передаю я свою лиру». Владимир был одаренным человеком, многообещающим поэтом, в его стихах главенствует тема грусти и скорби, тема гибели; ему было неполных девятнадцать лет, когда настигла его рука убийц...

«К.-Р.» умер в 1915 году. Павла Александровича расстреляли в январе 1919 года во дворце Петропавловской крепости, перед собором, в котором были похоронены предки Великого князя. Вместе с ним были убиты Великие князья Георгий Михайлович, известный нумизмат, Николай Михайлович, историк.

Есть и другая версия: вывели в узкий проход между стеной крепости и тюрьмой и расстреляли. Позже здесь казнили многих участников Кронштадского мятежа. Рассказывали, что в могилу положили и любимую кошку Николая Михайловича. Ленин заметил: «Такие историки нашей революции не нужны».

Есть и документы. По схожему поводу. 20 октября 1918 года А.М.Горький обратился к Ленину с просьбой: освободить тяжело больного туберкулезом князя крови Императорской Гавриила Константиновича Романова. Горький писал: «Очень хороший человек и опасно больной. Зачем фабриковать мучеников?» К письму было приложено заключение врача Манухина. Врач утверждал, что болезнь угрожает жизни Гавриила. Далее следовало личное прошение доктора с просьбой выпустить князя на поруки.

Ленин направил телеграмму Зиновьеву: «Боюсь, что вы пошли черезчур (так! — Г.Р.) далеко, разрешив Романову выезд Финляндию; не преувеличены ли сведения о его болезни советую подождать, не выпускать сразу в Финляндию». Телеграмма ушла в Петроград 22 октября 1918 года. Но Гавриил Константинович все же успел уехать. Из всех сыновей «К.-Р.» он один остался в живых. Князь Олег погиб во время I-ой мировой войны на фронте. В честном бою. На своей кровной кобыле Диане он преследовал отступающих немцев и был тяжело ранен. Государь наградил князя Георгиевским крестом четвертой степени, золотым, офицерским.

Кажется, в 1983 году мы с женой предприняли попытку отыскать могилу Олега Константиновича. Мы приехали в Осташев, бывшее имение «К.-Р.» неподалеку от Волоколамска. Служебные строения вокруг дворца сохранились — то были кирпичные руины. Облик дворца изменился неузнаваемо — теперь в нем размещалось нечто вроде дома престарелых. От стен и окон веяло... гибелью. Мы нашли храм, некогда воздвигнутый над могилой князя Олега. Что ж... Все как всегда и как везде. Разрушенный общественный туалет. Могила, естественно, исчезла. Наверное, любители раскапывать гробы искали сокровища...

В своем рассказе «Ковылин» князь Олег пишет о текучести русской жизни. Он заканчивает рассказ словами: «А дальше что будет?»

Славу Богу, что князь не узнал этого.

И, кто знает, с высоты Небес Божьих — простил?

...Я прошел по классным комнатам. Конечно, князьям здесь жилось лучше, нежели в казематах Петропавловки, например. Их отпускали в собор молиться, местные жители всегда присутствовали при их проходах, приветствовали, молились за Царственных узников, сочувствовали им.

Но судьба Романовых была предрешена. Однажды в Москву ушла телеграмма: «Арестованные бежали[1]». Точно такую же телеграмму пермские большевики отправили в центр, когда трое или четверо боевых их товарищей увезли на смерть Михаила и его людей. Эти «оправдательные» телеграммы мгновенно становились известными, они устанавливали именно то общественное мнение, которое требовалось власти. Лучшее оправдание — обвинение. Большевики хорошо знали и еще лучше — применяли подобную тактику.

На самом деле арестованных разбудили, вывели из школы, усадили на телеги и под предлогом перевода в другое, «более безопасное место» (знакомый мотив!), повезли к месту казни. Собственно, то была не казнь, то было самое обыкновенное (хотя и весьма изощренное!) убийство. Обреченных довезли до небольшого леска у Верхней Синячихи и здесь выгрузили, повели через лес. Арестованные шли с завязанными глазами — эти уловки тоже были в обычае палачей и тревоги не вызвали. Через сто метров всех — одного за другим — столкнули в ствол шахты «Межная». Кто-то погиб сразу. Кто-то

---

[1] 19 июля Белобородов (Предуралсовета) уведомил телеграммами Свердлова, Зиновьева и Урицкого о том, что Великие князья из Алапаевска похищены «неизвестной бандой», «есть жертвы с обеих сторон», «поиски ведутся». А еще раньше, 18 июля 1918 года Предисполкома Алапаевска Абрамов сообщил в Уралсовет, в Екатеринбург, о том, что Чрезвычайная комиссия в составе Старцева и прочих «приступила к расследованию побега князей Романовых». *(Примеч. авт.)*

покалечился, но остался жив. Елизавета Федоровна уцелела и трое суток оказывала, как могла, помощь раненым. Местные жители слышали все эти дни и ночи пение из-под земли: те, кто еще мог, — пели псалмы. Тогда палачи взяли у местного доктора серу, зажгли ее и бросили в ствол шахты. И только тогда все смолкло.

Сибирцы достали трупы из шахты. Они были на разной глубине (некоторые зацепились за внутришахтные перекрытия и остались на них). Трупы отвезли в морг — он в те времена находился на кладбище — бревенчатое строение у ворот. После медицинского исследования тела переодели в саваны, положили в гробы и под пение «Святый Боже» при стечении огромной толпы на руках отнесли в собор. Вряд ли эта толпа сочувствовала в те скорбные мгновения делу мировой революции...

После отпевания гробы поставили в склеп, справа от алтаря — так свидетельствуют очевидцы того времени. Все это произошло 18 октября 1919 года.

Через год, когда красные приблизились к городу, войска (на этот раз это были настоящие белые войска адмирала Колчака) отступили, и все гробы отправились в свой последний (на этот раз воистину последний!) путь. Армия уходила через Сибирь, к китайской границе. Неподалеку от пограничной линии на поезд с останками напали красные партизаны и выкинули из вагона гроб с телом князя Иоанна. Больше красные ничего сделать не успели — на помощь охране пришли китайцы. Шесть гробов с телами умученных нашли — как оказалось — временное пристанище на территории Русской миссии в Пекине, в храме святого Серафима Саровского, в крипте (я ввел эпизод с этой усыпальницей в фильм «Государственная граница», но КГБ бдел, и снять этот эпизод полностью режиссеру Б.Степанову не разрешили). Два других гроба оказались, волею Провидения, в Иерусалиме, в русском храме Марии Магдалины.

Я написал «временное пристанище», и это означает только то, что когда в 1945 году красные вошли в Манчьжурию, шесть гробов исчезли из храма св. Серафима в Пекине, по-видимому, — навсегда. Впрочем...

Впрочем, часть черепа Адольфа Гитлера обнаружилась не так давно в анналах госбезопасности нашей страны, и кто знает...

...Мы приехали к «Межной шахте» рано утром. Трава была мокрая, промозглая слякоть заползала за воротник и растекалась по спине. Мы шли медленно, сучья хрустели под ногами и жухлая уже — по осени — трава напоминала печально о краткости жизни человеческой...

— Здесь... — угрюмо обронил проводник.

Перед нами овальное углубление в почве — что-то 3x2 метра, глубиною тоже не более 2-х — 3-х метров. Земля внизу (мы все поочереди слезли по склону и попробовали) была слежавшаяся, твердая, я спросил с недоумением: «А... где же глубина? Она ведь очень глубокая была?» И снова проводник ответил мрачно:

— А вы вот сюда посмотрите...

Я взглянул и...

Холм. Огромный, метров десять высотой. Деревья на склонах и на вершине. Кроны — высоко — высоко...

Это — земля из шахты. Когда откапывали трупы из «Межной», породу никуда не увозили, она и образовала возвышенность. Кто-то спросил: «Неужели сбросили живых людей?» Риторический вопрос, наивный, но тот, кто спрашивал, — не знал ключевой фразы.

А я вспомнил: «Надоели вы нам, Романовы!»

...Мы возвращались в Алапаевск по следам тех страшных лет. Вот кладбище, но морга уже нет, его жалкие останки лежали безобразной кучей на том месте, где он некогда стоял.

О соборе я уже рассказал.

Оставалось отыскать склеп, в котором целый год находились гробы. Я обратился к местным властям, заинтригованные, они позволили вскрыть пол собора справа от Алтаря.

Но делать этого не пришлось, славу Богу... Появилась местная жительница, пожилая женщина с хорошими манерами, Августа Семеновна, она в «огненном восемнадцатом» училась в местной гимназии и участвовала в похоронах Великого князя Сергея и остальных мучеников. «Вы бы слышали, как рыдала толпа, когда Их несли в гробах по улице... — сказала Августа Семеновна.

Подошел человек средних лет, интеллигентного обличья:

— Вы интересуетесь Романовыми?

И протянул мне шарф: длинный, невероятно длинный... Кажется, он был шелковым, черно-серым, с мелким рисунком...

И я отчетливо-отчетливо увидел Великих князей посередине улицы. Они медленно шли, переговариваясь о чем-то, и на плече князя Игоря трепетал на ветру этот самый шарф...

211

Словно сквозь сон, прорываются слова вестника:

— ... князю Игорю принадлежал... Отец этой женщины взял шарф в морге, там вещи с покойников свалили в кучу, и каждый брал, что хотел, — на память...

— Кто эта... женщина?

— Не скажу. Вы из Москвы, она, пожалуй, захочет вам отдать, а этого нельзя. Шарф перейдет теперь ко мне — по ее завещанию, — он уходит.

— А где... склеп? — спрашиваю Августу Семеновну.

— Вот он, — удивилась Августа Семеновна.

— Вот эта пристройка? Да ведь она — слева?

— Это как посмотреть...

Подходим к пристройке, дверей нет, из проема тянет гнилью.

— Здесь?

Она кивает и входит первой.

— Сюда... — осматривается. — Я сюда не заходила... тогда. А когда их увезли... Потом эти... вернулись. Что тут еще может быть?

Помойка...

Распоряжался здесь в те баснословные года большевик Модест Яковлевич Старцев. Хорошее русское лицо, глаза живые, выразительные, уши слегка оттопыренные — на вид человек совсем не глупый и добрый. Это на фото. Но...

Обманчива внешность. Старцев стоял во главе угла. Все совершилось под его руководством. А ведь хорошее лицо... Впрочем — у Ленина оно тоже вполне человеческое. Старцев

212

умер своей смертью здесь, в Алапаевске и похоронен на местном кладбище.

Его могилы мы не нашли.

Еще одна, весьма трогательная, деталь: на косоворотке Старцева видны две большие пуговицы, обтянутые материей. Он словно рабочий паренек из фильма о Максиме. Помните? «Крутится — вертится шар голубой...» Герой фильма «Конь белый» пел правильно: «шарф голубой». Всего лишь одна буква, а смысл прямо противоположный. Один мечтает изничтожить проклятый царизм, второй — восстановить монархию.

В марте 1990 года редакция журнала «Наше наследие» пригласила меня отправиться в Лондон, на аукцион антикварной фирмы «Сотбис». Продавался архив следователя Н.А. Соколова, русская живопись XIX — начала XX века и разного рода любопытные предметы, так или иначе соприкосновенные с Царской Семьей. Это был мой первый серьезный выезд в настоящую заграницу. В Москве еще вовсю бушевала зима.

В лондонский аэропорт прилетели поздно вечером. Чиновник на довольно приличном русском языке долго допытывался у меня — зачем, для чего и почему я оказался на территории Ее Величества. Поскольку остальных членов делегации (а это была именно делегация — пригласила ведь всемирно-известная антикварная фирма) ни о чем не спросили, а чиновник довольно неловко пытался изловить меня на противоречиях и неувязках, я догадался: моя слава «агента КГБ» летит впереди меня, как реактивный истребитель.

В конце концов мистер понял, что я «не проговорюсь» даже под пытками, он нехотя отпустил меня, пробормотав напоследок нечто неразборчивое, вроде нашего привычного: «ходют тут всякие...»

Потом мы оказались в комфортабельном автобусе (прислала фирма) и... Здесь первое потрясение — во всяком случае, для меня: по сторонам шоссе замелькали фонари, силуэты деревьев и домов, а впечатление было такое, что автобус стоит на месте. «Это у них дороги такие...» — с усмешкой объяснил мой сосед.

Приехали в гостиницу, глубокая ночь. Привычно ожидаю увидеть заспанные и злые лица за стойкой — кто-нибудь когда-нибудь видел на территории бывшего СССР другие? Никто и никогда. Но здесь улыбаются и не показно, а вполне искренне. Вот чудо-то...

К моему изумлению, отправляемся в ресторан. Он начинается прямо под лестницей, как во всех английских фильмах, еще черно-белых. Здание конца прошлого века, но оно тщательно и с любовью перестроено. В ресторане к нам подкатывают столик с пышущей жаром посудиной, в ней — ростбиф, и какой... Пиво, вино, восторг и упоение, да еще за все платит приглашающая сторона. Когда члены делегации это «усекли», они — как позже сами с восторгом рассказывали — по три-четыре раза очистили в свои чемоданы маленькие холодильники в номерах гостиницы, в которых было все: пиво, вода, конфеты, печенье, еще что-то... К сожалению, я до последнего момента так и не понял, что все б е с п л а т н о. Иначе, кто знает... Устоять трудно.

На другой день — на фирме. Начальник «Русского отдела» Джон Стюарт (он потомок королей Шотландии, но ездит на мотоцикле и весьма дружелюбен и скромен, то есть — воспитан) показывает мне сокровища, которые будут через несколько дней выставлены на аукцион.

Дело по убийству Семьи, экземпляр первый (так мне помнится и я думаю, что прав: доказательства вещественные к последующим экземплярам никогда не прилагаются). От волнения я даже вникнуть не мог, листал автоматически, и лицо у меня, наверное, было странное, потому что я поймал удивленный взгляд Джона.

Потом я стал разглядывать вещественные доказательства. Все они так или иначе опубликованы. Но вот, скажем, цвет телеграмм, которыми обменивались Москва и Екатеринбург... Бланки были густо-розового цвета, «правительственные», с рваными краями, на этих бланках отпечаталась кровавая злоба большевистского заговора против Семьи. Расписки, выданные Старцевым и другими, причастными, алапаевским узникам: у кого-то отобрали деньги, у кого-то квитанцию из фотографии, у кого-то документы. Эти расписки были на трупах, поднятых из «Межной». Бумага пропиталась кровью и гноем, у нее был потусторонний, леденящий вид, и я подумал: вот что означает — на самом деле — расхожее понятие: прикоснуться к истории.

Но это еще не все. Известно, что за день или два до бойни Яков Юровский выезжал в Урочище четырех братьев, чтобы выбрать место для сокрытия тел. С собой комендант ДОНа взял корзину сваренных вкрутую яиц, которые монахини монастыря прислали узникам. Юровский нашел пенек на полянке (эта полянка с тех пор называется в деле Соколова «поляной врачей» и мы сейчас поймем — почему), сел и стал очищать и поглощать яйца[1]. Потом «надежнейшему» захотелось по большой нужде, он выдрал из своей «Записной книжки фельдшера» листки и после окончания процесса употребил в дело[2]. Отсюда и «врачебное» название поляны.

И скорлупу, и измазанные экскрементами листки следствие приобщило к делу.

Теперь все это лежало передо мной.

Мне сложно передать свои ощущения, чувства. В конце концов — окровавленные расписки Константиновичей — это одно, это почти нормально. Но чтобы такое...

Я первый раз в жизни подумал о том, что и В.И. Ленин, и И.В. Сталин, и Л.Д. Троцкий, и Н.И. Ежов, Ягода, Берия и прочие наши вожди «в законе» тоже отправляли, черт возьми, свои надобности, прежде чем подписать, и после того... Приговоры, распоряжения, пожелания и заметки на полях, которые отправили на тот свет — я уже упоминал об этом — сорок миллионов российских, советских и всяких разных белогвардейских людей на тот свет.

Сортир и кабинет в Кремле несовместны для обыденного сознания. Для моего, как выяснилось — во всяком случае.

Но с другой стороны, все это было — по

---

[1] Скорлупа — в конверте. Сплющенная, желтоватая, много крошки. *(Примеч. авт.)*
[2] На одном из фрагментов, примерно 12x12, читается типографский текст: «...саркома легких, селезенки». Видимо — алфавитный указатель. *(Примеч. авт.)*

слову Маяковского — так весомо, грубо, зримо, что я дар речи потерял, а Джон стоял рядом со мною и грустно улыбался.

Он ведь потомок шотландских королей и нечто из другого мира.

Потом Джон устроил прием у себя дома. Древний, наверное, XVI века постройки, дом со множеством переходов, коридоров, закоулков и комнат с низкими потолками. Англичане чтут привидения, и мне стало понятно почему.

Было много приглашенных — кто-то из Романовых (нас не представили друг другу, не знаю — кто это был), графы, князья и просто родовитые дворяне бывшей Российской империи. Князь Ливен подарил мне свою книгу о русской революции и старом режиме. На обложке была картина Репина «Государственный совет». Репин написал эту картину вместе с Иваном Куликовым и Борисом Кустодиевым, но, несмотря на то, что ее создали три разных художника, она смотрится цельно. Эта цельность не столько в незыблемом колорите, выверенном цвете и тоне, композиции, сколько в людях. Я часто бывал в Русском музее и подолгу рассматривал это полотно, и всегда мне казалось, что на лицах персонажей опочила... гибель. Предчувствие оной — во всяком случае. Чеховская «лопнувшая струна» из «Вишневого сада» звенит в воздухе этой картины, ее слышат все в ней присутствующие. Я думаю, что Доменик Ливен заметил это и не случайно выбрал для обложки «Торжественное заседание Государственного совета».

...Ко мне подошла графиня Бенкендорф, ей меня представил Джон и сразу же ушел — пировать с друзьями. А мы никуда не пошли и долго разговаривали о судьбе России Императорской и о судьбах России будущей.

Графиня произносила слова негромко, внятно, на прекрасном русском языке, она была не слишком молода, но обворожительна и красива, ворот ее платья оттеняла небольшая алмазная брошь — двуглавый орел. Мы заговорили о вечной проблеме: кто виноват? И правнучка всесильного шефа и создателя политической полиции, пресловутого Отдельного корпуса жандармов и 3-го отделения Собственной Его Величества канцелярии, произнесла грустно: «Мы, дворяне русские... Кто ж еще...»

И ни слова о «жидах», большевиках, эсэрах и прочих делателях — как это обыкновенно принято обозначать в зависимости от уровня тех, кто ведет разговор.

А за несколько дней до этой знаменательной встречи я делал доклад — вернее, сообщение в Сотбис, было человек тридцать желающих выслушать подробности обнаружения Останков. В первом ряду сидел князь Голицын (лондонский, не московский), «личный друг королевы» — так его называли — и смотрел на меня холодными усмешливыми глазами, словно сквозь зубы цедил: «Мели, Емеля, твоя неделя». Меня это не смущало. Скорее — огорчало. Правда, о «жидах» князь тоже не сказал ни слова.

Мы подошли к проблеме, о которой я уже упоминал — когда говорил о мнении Бердяева.

На стенах «смертной комнаты» дома Ипатьева остались после кровавой бойни две надписи.

Первая: «Belsatzar ward in selbiger Nacht
Von seinen Knechten umgebracht».

Это последняя, 21-ая строка стихотворения
Гейне «Валтасар». Последний царь Вавилонский Валтасар во время осады города персами устроил своим вельможам пир, на котором все
пили вино из священных кубков, некогда похищенных дедом Валтасара, Навуходоносором, из
Иерусалимского храма. В какое-то мгновение
все увидели на стене таинственные огненные
буквы. Призвали пророка Даниила, и тот расшифровал надпись: «мене, мене, текел, упарсин». Что означало: исчислил Бог царство твое
и положил ему конец — это «мене, мене», ты
взвешен на весах и найден очень легким — это
перевод слова «текел», и, наконец, — «упарсин»: разделено царство твое и дано мидянам и
персам. «Еще не взошла заря, рабы зарезали
царя», — таков стихотворный перевод 21-й
строки из стихотворения Гейне.

Кто оставил эту надпись?

Тот, кто был среди убийц. Заподозрить вошедших в «смертную комнату» офицеров Сибирской армии, чехов, судебную власть — мы вряд
ли сможем. Не один человек оказался тогда в
комнате и сделать эту надпись тайком от других — вряд ли такое было возможно.

Другое дело — после убийства.

Среди убийц были мадьяры — они вполне
могли знать немецкий. Эту надпись мог сделать
и образованный член Уралсовета — например — Войков.

Мог сделать и еще кто-то, но только, как
мне представляется, до того как в город вошли
Сибирцы и чехи.

Надпись сделана на дурном немецком. Автор этой надписи то ли не помнил толком текст Гейне, то ли путался в немецких словах. Он пропустил частицу «aber» (однако же), которая у Гейне стоит после «ward» (был), и вначале написал «selbiger» (теми же), но зачеркнул и поверх зачеркнутого написал верное: «seinen» (своими).

Разберемся в переводе. У Гейне сказано (буквально): «Белшацар был, однако же, в ту же ночь своими слугами убит».

У анонимного автора надпись в первоначальном варианте выглядела так: «Белшацар был в ту же ночь теми же слугами убит». Эта надпись звучит как констатация содеянного в Ипатьевском доме: убит и все. Безо всяких «однако же».

Рискну предположить, что обыкновенный рабочий, заводской, а ведь именно из таких состояла охрана ДОНа, выразил бы свои эмоции по-другому. И еще: «В стихе немецком, — утверждал Александр Блок, — Гейне — всегда еврей.». Поэтому Валтасар назван не в европейской, новейшей традиции, а в ветхозаветной, иудейской: Белшацар.

Думаю, что автор надписи на стене придавал написанию этого имени определенное значение.

Хотя я не настаиваю на этом.

Есть ли достаточные основания для того, чтобы утверждать: Государя убивали в подавляющем большинстве не русские люди? Иностранцы?

Я думаю, что есть.

Е.Е. Алферьев, опубликовавший в США в 1974 году книгу «Письма Царской Семьи из заточения», предлагает несколько документов, кои всегда либо отрицались историками, либо подвергались серьезному сомнению.

Рассказывая об этих документах, я вроде и сам себя опровергаю: первый документ — Постановление Уралсовета, принятое 14 июля в два часа ночи: «...собрание единогласно постановило ликвидировать бывшего царя Николая Романова и его семью, а также находящихся при нем служащих». Получается, что Москва и в самом деле ни при чем. Нет. Не думаю. Москве, Ленину, выступать в роли палачей было явно не с руки — я уже упоминал об этом. Посему Уралсовет мог придумать любое прикрытие Москве.

Второй документ гораздо интереснее. Дело в том, что во всех допросах участников кровавых событий повторяется одно и то же: Юровский «работал» в подвале с «латышами». Один из допрошенных Соколовым, прокурор Пермского Окружного суда Петр Шамарин, в свою очередь допрашивал одного из убийц — Павла Медведева. Того задержали в Перми на мосту через Каму. Медведев не выполнил приказ своего командования — не взорвал мост. Почему же Медведев не сделал этого? Ответ прост: совесть замучила, хотел хоть чем-нибудь искупить свой кровавый грех.

Правда, и товарищ Ворошилов в своих воспоминаниях, и многие-многие другие всегда утверждали, что Медведев не взорвал мост «по независящим обстоятельствам» и остался «верен присяге».

Это неправда. Медведев сдался добровольно. Это известно из его собственных показаний.

Вслед за другими Медведев повторил, что в

момент уничтожения Семьи в «смертной комнате» были: Юровский, Петр Ермаков, помощник Юровского (не назван Медведевым), товарищ Ермакова (не названа Медведевым) и семь человек латышей, а также и он, Медведев. Всего двенадцать человек.

Вернемся к записке Юровского. Он пишет: «...отобрано двенадцать человек (в том числе семь латышей) с наганами, которые должны были привести приговор в исполнение, двое латышей отказались стрелять в девиц».

Шамарин пояснил, что «латышами» — как утверждал Медведев — было большинство большевиков. Другими словами, Медведев называл этим словом всех нерусских, присутствовавших в доме Ипатьева.

Итак, этих «латышей» было семь человек.

В «Списке команды Особого назначения», который публикует Алферьев, указано десять человек, но нас интересуют «латыши», а их ровно семь! И эта цифра совпадает и с «Запиской Юровского», и с показаниями Медведева.

Кто же это? Привожу имена в той транскрипции, которая дана у Алферьева.

Горват Лаонс

Фишер Анзельм

Эдельштейн Изидор

Фекте Эмил

Над Имре

Гринфелд Виктор

Вергази Андреас

Все имена — за исключением третьего — венгерские.

Но, может быть, автор просто-напросто все эти имена придумал, притянул за уши, что называется?

222

Мне трудно заподозрить в эдаком выверте неизвестного мне человека, книга которого — реквием по убиенным. Вряд ли такое возможно, скажу я, и приведу определенный, пусть и не абсолютный, довод: протокол осмотра дома Ипатьева, произведенный Соколовым 15 — 25 апреля 1919 года, зафиксировал — кроме похабных рисунков на стенах и отъявленной матерной брани, — изощренной и весьма гнусной, — надпись карандашом на стене: №6 Верхаш 1918 XII/15/ Карау...». Ниже этой надписи имеется еще одна, «сделанная, видимо, на мадьярском языке», тем же карандашом и тем же почерком: «Verhas Andras 1918 VU/ISE orsegen».

Это последняя фамилия — в списке Алферьева. И я, сопоставляя этот список с документами Соколова, прихожу к достоверному, с моей точки зрения, выводу: список этот — подлинный. Другое дело, что в документах Алферьева присутствует некий «Мебиус», начштаба военно-революционного комитета. Действительно, ни Мебиуса, ни «комитета» при Уралсовете не было. Здесь противоречие. Будем надеяться, что следствие его устранит.

Это не все. В 1989 (или 90-м?) я упомянул человека из этого списка, и упомянул крайне отрицательно. Это Имре Надь, Председатель Венгерского правительства, повешенный во дворе Будапештской тюрьмы вскоре после подавления советскими войсками так называемого «мятежа» в Венгрии. Я сказал тогда — в каком-то своем интервью какой-то западной радиостанции — о том, что Надь — прежде всего коммунист и палач.

Через день-два радио «Свобода» вываляло

меня во всем, в чем можно было вывалять. И клеветник я, а Имре Надь — честнейший демократ и мученик, и не был он в доме Ипатьева, потому что был — в составе революционных войск Советской России — дальше, к востоку от Урала. И много чего еще раздраженно и убежденно произнес тогда комментатор.

Ни он, ни я не знали тогда, что Имре Надь — предатель, мерзавец и кровавый палач, выдававший госбезопасности СССР своих «боевых товарищей». Имре Надь, агентурный псевдоним «Володя», верой и правдой служил ОГПУ, НКВД (Главному управлению государственной безопасности), на его совести десятки преданных им и уничтоженных людей, его руки — по локоть и выше в крови. Он «работал» не по принуждению, не за страх.

Я верю, что такой нечеловек вполне мог участвовать в расстреле — нет, уничтожении Царской Семьи.

В документах госбезопасности «Володю» называют «венгерцем».

Осенью 1956 года во время мятежа в Будапеште Имре Надь, обращаясь к восставшим, сказал: «Ребята, я такой же венгр, как и вы».

Но сколько раз от людей «весьма осведомленных» слышал я: «Надь — еврей!». Понятно...

Я думаю, что национальность Надя не имеет значения — какой бы она «на самом деле» ни была. Надь предавал своих вчерашних друзей не по национальным, а по религиозно-партийным, коммунистическим убеждениям. Вспомним: «Каждый обязан доносом на каждого». Имре просто выполнял свой гнусный долг...

...Вторая надпись (на подоконнике, чернилами) считается «пробой пера» или...

Или весьма определенной констатацией по поводу содеянного большевиками.

Надпись выглядит так:

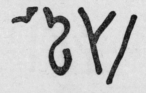

Профессор Пагануцци из США утверждает, что некогда эта надпись была расшифрована английским ученым Энелем и означает следующее: «Здесь по приказанию тайных сил царь был принесен в жертву для окончательного разрушения государства, о чем извещаются все народы». Энель (со слов Пагануцци) доказал, что буквы на подоконнике означают тайнопись на древне-арамейском языке, предшественнике иврита.

Но Пагануцци не приводит таблиц расшифровки, анализа и т.п.

В первом томе «Большой энциклопедии» под редакцией профессора Южакова (1906 — 1969 гг.) есть статья «Алфавит». В таблице я нашел буквы древнееврейского языка, иврита, который в 1918 году был мертвым и пользовались им только ученые раввины и профессора Санкт-Петербургской Духовной академии — по должности. Без истории Ветхого и Нового завета невозможно преподавать православие, как науку о «правильной вере».

Но буквами иврита и тогда и сейчас пользуются те евреи, которые владеют «жаргоном», идиш, странной смесью немецкого и Бог весть чего еще. В письменной речи слова на идиш обозначаются буквами иврита.

Я нашел у Южакова (сразу оговариваюсь, искал нечто похожее по рисунку) четыре буквы.

Получилось ли слово или абракадабра — не знаю. Вот они:

ויזי

Сейчас продолжают говорить: «русский», «русская». Все остальные только «лица» той или иной «национальности». Так вот: «лица еврейской национальности» принимали участие в уничтожении Романовых и в организации этого уничтожения. Сказав это, я менее всего хочу и стремлюсь выделить «лиц» одной национальности и противопоставить эти «лица» национальности другой. Просто разговор назрел, его следует хотя бы начать, не опасаясь возмездия со стороны еврейской общины в Москве[1] и в мире. Нормальные люди обязаны все понимать правильно. Нетерпимость во всех проявлениях — знак средневековья.

Еще раз: я только хочу разобраться, понять. Я не намерен никого обвинять, пригвождать и так далее. Вряд ли такая задача и вообще должна стоять.

---

[1] В октябре 1993 года я дал интервью по поводу своего фильма «Конь белый» московской телевизионной программе. На другой день уважаемая газета (не называю ее умышленно) обвинила меня во всех смертных грехах. По вполне понятному, впрочем, поводу. Еврейская община немедленно обратилась в прокуратуру. Слава Богу, там оказались разумные люди. Из моего интервью сном-духом не следовало ничего безнравственного. В возбуждении уголовного дела было отказано. *(Примеч. авт.)*

Когда Император Александр III заинтересовался положением евреев, министр Внутренних дел граф Игнатьев ответил в том смысле, что заботиться о правах евреев нет нужды, потому что евреи и без всяких прав пролезают повсюду.

Лучший способ обрести врага — предубеждение. Бороться с этим невозможно. Русский писатель Салтыков-Щедрин понимал это лучше других: «История никогда не начертала на своих страницах вопроса более тягостного, более чуждого человечности, более мучительного, чем вопрос еврейский... безнадежно агонизирует целая масса людей, у которой отнято всё... Вряд ли возможно даже вообразить себя в состоянии этой неумирающей агонии, **а еврей родится в ней и для нее**» (выделено Салтыковым-Щедриным). Сколько бы мне не приходилось выступать в свое время в весьма заполненных аудиториях — практически всегда из зала звучал один и тот же вопрос: «Царя убили евреи?»

Я всегда отвечал одинаково: «Государя убили большевики, среди которых были и евреи тоже». Добавим: подонки, мразь. Такое есть у любого народа.

Никто не может отрицать присутствия в этой кровавой истории Якова Юровского, Шаи («Филиппа») Голощекина, Свердлова, Войкова, сонма других революционеров, принадлежащих к «лицам». К подонкам, точнее.

Но никто не сможет отрицать и прискорбной недальновидности Государя, не внявшего призыву истинно-русского националиста Петра Столыпина, призвавшего царя дать евреям общегражданские права.

Тысячи людей из местечек и окраин хлынули

в армию товарища Ленина, не осознавая, что грязные политики «коренной» национальности используют их вечную, постоянно накапливающуюся обиду, «бросят» на самые кровавые дела в революции и гражданской войне, а потом — выплюнут за ненадобностью и даже создадут «дело врачей». В России всё и всегда валить на евреев — дело обыкновенное. Они и в тело народа «проникают, как бацилла», они и «русских оттесняют», они и вообще вредны. По сути дела, сегодня вновь ставится вопрос об «окончательном решении». Это внятно звучит на юге страны, да и в Москве.

Да, Государь евреев не любил и иначе, нежели «жидами», их не называл. Николай II говорил о «милом его сердцу Союзе русского народа» и о том, что он, Государь, всегда будет на стороне тех, кого «безвинно преследуют» за национальную устремленность.

Но Царь держал в Департаменте полиции, скажем, Гартинга — Авраама Геккельмана на самом деле. Гартинг заведовал Заграничной агентурой Департамента и был Действительным статским советником, генерал-майором по-военному.

Другими словами: в России были законы против евреев. Но Государь был вполне способен и на исключения. Редкие, правда.

Журналист из газеты «Земщина» (газета весьма определенного направления) Николай Петрович Тихменев рассказывает о том, как Государь однажды приехал на обед в один из полков в Петербурге; во время обеда зашел разговор об участии евреев в недавнем террористическим акте. Один из офицеров заметил громко: «Перевешать бы их всех!» Император сказал: «Никогда не забывайте, что евреи мои подданые».

Это похоже на благостный анекдот. И тем не менее...

Эта проблема не скоро еще «успокоится», обретет рациональную ясность.

Это всё «по поводу», не более.

Сегодня Священный Синод русской православной церкви поставил перед Государственной комиссией по захоронению Останков Царской Семьи — среди прочих — сакраментальный вопрос: а не было ли убийство Семьи — ритуальным?

На этот вопрос должна ответить комиссия, среди членов которой нет ученых знатоков по этой части.

Ученые знатоки есть у Патриархии — все те же профессора Академии.

В 1913 году, в Киеве, предшественники этих профессоров однозначно ответили на вопрос суда по делу Бейлиса[1]: у евреев нет ритуального убийства.

Но...

Суд счел, что таковое есть. И что мальчик Ющинский был убит группой евреев-изуверов, заранее согласившихся между собой выцедить из христианского мальчика кровь для обрядовых целей. Однако суд согласился и с доводами защиты: Бейлис ни в чем не виноват.

---

[1] В 1911 году, в Киеве, был арестован приказчик еврейской хирургической больницы Менахиль Мендель Бейлис и обвинен в ритуальном убийстве христианского мальчика Андрея Ющинского. Труп ребенка был исколот, кровь выцежена, перед смертью мальчик пережил ужасающие страдания. Правая печать объявила «дело Бейлиса» «мировым»: не просто российские евреи виноваты, а евреи всего мира, потому что они — зло. *(Примеч. авт.)*

А неустановленных следствием лиц признали виновными заочно. Хотя эксперты и убеждали: даже если предположить и поверить на мгновение, что евреи (крайний толк, хасиды) употребляют для изготовления пасхального опреснока, так называемой мацы «Гезир», кровь христианского младенца — то и тогда должны быть абсолютно и непререкаемо соблюдены общие условия ее, мацы, приготовления. Маца должна быть только чистой, «кошерной», но не грязной, «трефной». Эксперты разъяснили: если во время приготовления пасхального опреснока мимо здания, в котором оная маца готовится, пройдет ближе, нежели следует, иноверец (гой, акум) — маца, ее заготовка становится трефной и выбрасывается.

Могло ли быть так, что мальчика Ющинского кололи сквозь одежду, сквозь нечистоту, и выцеживали кровь для опреснока? Кололи в помещении, которое имело, по меньшей мере, земляной пол, а может быть — и стены?

Для мацы такое исключено (мы договорились на минуту, что для анализа ситуации верим в «ритуальное убийство»). Уголовные дела евреев в веке XIX (было два дела с аналогичными обвинениями) окончились либо судебным оправданием, либо снятием обвинения в «ритуале».

Только по так называемому «делу Бейлиса» это обвинение официально осталось.

Но, повторяю: поверить в то, что уничтожение целой семьи — Царской в нашем случае — совершается через несколько месяцев после еврейской Пасхи, совершается в грязном подвале, совершается с помощью револьверных выстрелов и пули проходят сквозь одежду, и штыками добивают тех, кто еще подаёт признаки жизни — поверить, что всё это — для... мацы?

Но, может быть, действительно — «в жертву»? Как и расшифровывает таинственную надпись Энель?

В IX главе Первой книги Моисея сказано: «Кто проливает человеческую кровь, да будет его кровь пролита, ибо в образе Божием Бог создал человека».

В законе Моисея (Второзаконие, XII, 30, 31) Бог требует от народа Израиля не приносить людей в жертву. «Берегись, за этот грех Я предостерегаю: берегись, не оскверняй этой земли».

Если государь Всероссийский и был принесен в жертву, то алтарь этой жертвы — постамент внутри мавзолея коммунистического тирана.

Или имеется в виду просто ритуал, как понятие? Как нечто совершаемое четко, последовательно, строго и всегда одинаково? Тогда убийство Царской Семьи действительно — ритуал.

Как впрочем и любое исполнение смертного приговора — от века и до наших дней.

...Исполнитель этой акции Я. М. Юровский опочил в Кремлевской больнице в 1938 году. Его тело по тогдашнему «прогрессивному» обыкновению сожгли в крематории, а урну поместили в колумбарий. Я был у этой ниши и лишний раз подивился скоротечности времени и жизни человеческой. И — в особенности — переменчивости оценок человеческих. Вчерашний восторг превращался в проклятия, проклятия сменялись коленопреклоненным восторгом. Мне позвонил «голос»: «Где могила этого проклятого жида? Сотрем с лица земли!» Я сказал, что и гнева не разделяю и где могила — не знаю. Всё те же мы... И вряд ли изменимся. И оттого сгорим в аду...

...А подлинный кусок желтоватых обоев в более темную вертикальную полоску с надписью на плохом немецком — этот кусок дышал, разговаривал и уличал. И обличал. Истязателей и убийц. Кем бы они ни были и к какому бы племени ни принадлежали. «Не убий» есть не только у христиан. Этот императив есть и у иудеев, и у мусульман.

Его нарушают не по национальному принципу. А только по общечеловеческому, подлому.

Я хочу, чтобы меня правильно поняли. Я упоминаю евреев по единственной и весьма простой причине: они участвовали в убийстве (повторю это для ясности), они были среди организаторов и вдохновителей этого преступления.

Означает ли это, что я настаиваю на этнических или религиозных особенностях? Нет. Ибо не верующие иудеи убивали, и даже не иудеи-фанатики. Убивали те, кто причислял себя к самой реакционной и воинствующей идеологии, какую когда-либо порождало человечество: коммунизму. Убивали из-за зависти, ненависти, как методологии бытия, убивали, дабы все отнять и поделить, а, точнее, воровать всласть, «грабить награбленное». Здесь не имела значения национальная принадлежность. А только принадлежность к преступному сообществу, именуемому «партия». Посему формула «умучен от жидов» не имеет к убийству Государя ни малейшего отношения, ибо формула эта носит не национально-формальный смысл, но идейный, идеологический — прежде всего.

Если же кто-то в определенных кругах общества и Русской Православной Церкви придает этой формуле исключительно этническое, национальное содержание — что ж... Это следующий шаг, но не вослед фюреру, а гораздо дальше. Бездна не имеет пределов.

В Лондоне у меня было еще одно, очень важное дело. Я хотел снять фильм о гибели Династии (я упоминал об этом), мне нужны были деньги. Со мною захотел встретиться независимый продюсер Би Би Си. Он был любезен: зная, что у приезжих из СССР денег нет, — заплатил за мое такси.

Его офис на окраине Лондона — там были старые двух-трехэтажные дома. В одном из них и размещался мой вероятный благодетель.

Но, во-первых, я увидел в комнате перед его кабинетом большой портрет Ленина. Секретарь (она чуть-чуть говорила по-русски) объяснила мне, что «шеф придерживается левых взглядов».

Во-вторых, «шеф» предложил мне следующую конструкцию будущего фильма: мальчик лет пяти становится свидетелем скорбных событий в Екатеринбурге — свидетелем убийства Семьи и всего дальнейшего. «Глазами этого ребенка следует сделать фильм. У нас это будет иметь ошеломляющий успех! У нас обожают детей!» — «У нас — тоже, — ответил я. — Но в отличие от вас — у нас такой «ход» всерьез не воспримут. Нашему зрителю нужна не побаска, а медицинские факты».

Мы не поняли друг друга.

Но на следующий день я был вознагражден. Меня пригласила Маша Слоним из Русской службы Би Би Си, я приехал к ней, познакомился с православным батюшкой, весьма интеллигентным и мягким; Маша — маленькая, быстрая, улыбающаяся и доброжелательная, неожиданно сняла трубку, сказала несколько слов и протянула мне: «С вами будет говорить Владимир Кириллович». Я опешил, но она улыбалась, пришлось смириться. «Здравствуйте, Ваше Высочество», — эти слова я давно знал, привык к ним, но так вот, живьем, что называется...» «Здравствуйте, очень рад. Я наслышан о вашем открытии, я надеюсь, что это правда. Это очень важно — для нас, Романовых, для всех, я думаю. Вы уверены в своей находке?» — «Да. И не я один». — «Я желаю вам успеха».

Короткий, мало что значащий разговор, но для меня он — в те мгновения — прозвучал почти мистически...

Больше я никогда не разговаривал с Великим князем.

А когда снимал в Петербурге свое кино — пришел на его могилу в Великокняжескую усыпальницу Петропавловского собора.

Позже одна из советских газет сообщила, что я ездил в Англию торговать костями Романовых.

Что еще произошло в Англии?

Я хотел взять с собою картину художника Алексея Павловича Свиркина — «Место захоронения Романовых в Поросенковом логу» и подарить ее королеве Великобритании. За год до публикации моего рассказа в журнале «Родина» я увидел в магазине напротив Министерства внутренних дел на Житной картину Алексея Павловича. То был грустный весенний пейзаж. Серое небо, сквозь которое с трудом пробивается призрак солнца, не пробудившаяся еще земля, синий снег и речная вода, еще не верящая в грядущую весну. Мне понравилась эта картина, я ее купил, потом нашел домашний телефон художника, позвонил. Так мы подружились. Позже я много рассказывал Алексею Павловичу о трагедии Семьи. Он слушал внимательно и сочувственно, его собственная военная биография была весьма трагичной — плен в Крыму, концлагерь, неукротимое стремление выжить и гибель друзей — всё это предполагало, что в душе Алексея Павловича наверняка найдется место для сопереживания. И вот появилась картина. Место это в Поросенковом логу и само по себе с неким странным мистическим оттенком, когда же я увидел живопись — я понял, что не ошибся. Мастер всегда привносит в портрет жизни свое собственное ощущение, наверное, поэтому картина состоялась.

Почему я решился на такой безумный и бесполезный шаг? Дело в том, что в АПН мне показали сообщение о том, что королева достаточно задолго до того, как появились первые публикации о Романовых, поручила одному из своих конфидентов запросить руководство СССР о судьбе Романовских останков. Королева не верила в то, что всех сожгли — как об этом писал Н. А. Соколов. Последовал запрос и был дан ответ — его изложение я и прочитал. Следовало, что после расстрела всех захоронили неподалеку от Екатеринбурга.

Я подумал: раз Ее Величество столь пристально интересуется судьбой своих родственников (Александра Федоровна состояла в прямом родстве с Английской короной) — королеве будет интересно получить на память о тех страшных событиях изображение трагического места.

Увы... Я забыл, к сожалению, что некогда король Георг V, обещая своим родным в России помощь и спасение, легко отрекся от своих слов, полагая, что возможное выступление английских рабочих куда как опаснее и реальнее пока еще вполне виртуального плана спасения. Я забыл о том, что и Георг V и все последующие монархи Англии — прежде всего политики, то есть подчинены обстоятельствам, а не зову души и сердца.

Я также не понимал, что недоступность советских бонз едва ли больше недоступности бонз всего остального мира.

Движение души...

У сильных мира сего души нет. И никогда не было. И не может быть.

Глупость пронизала мою голову. И слава Богу, что суровый Глава нашей делегации произнес непоколебимо: «Вот когда поедете в Англию самостоятельно — тогда ходите на руках и на голове. А при мне — ни-ни!»

...Когда же настал день аукциона и по просьбе Раисы Максимовны Горбачевой купили... цатый экземпляр рукописи Тургенева (кажется, то были «Отцы и дети» с двумя или тремя карандашными пометками автора) и даже не подумали приобрести архив Соколова — я лишний раз взгрустнул о том, что горизонт, за которым нас всех ждет Царство Свободы, — и в самом деле воображаемая линия: чем ближе к ней, тем дальше она от тебя.

Пресса, телевидение, просто разговоры — всё это, видимо, задело и профессионалов. Мне позвонил судебно-медицинский эксперт, человек в своем деле весьма известный — Сергей Сергеевич Абрамов. Сказал, что готов помочь, что без предварительной — хотя бы — оценки имеющегося материала невозможно даже и подступиться к проблеме на уровне государственном. Договорились встретиться, я взял увеличенные фотографии трех черепов — фас, профиль, сверху, снизу, детали и поехал к Сергею Сергеевичу на Яузу, там, на набережной, располагалась, видимо, одна из лабораторий судмедэкспертизы.

Абрамов оказался средних лет, небольшого роста, с бородкой и усами, в белом халате. Негромкой своей речью и плавными жестами он напоминал чеховского доктора из провинции. «Ну-те, ну-те...» — сказал, принимая у меня фотографии. Помнится — водрузил очки на нос и начал внимательно разглядывать. Потом поднял на меня глаза — из-под очков они смотрелись недоумевающими и огорченными. «Скудно. Весьма скудно. Мало материала. Не знаю — сможем ли мы что-нибудь сделать...» Но фотографии оставил и через несколько дней позвонил и пригласил придти.

Встретились, он вернул мне фотографии и прочитал свое заключение. Абрамов считал, что представленные три черепа по генетическим особенностям (малые округлые подбородки, еще что-то) принадлежат членам одной семьи: отцу, сыну и дочери.

Мы тепло распрощались, Сергей Сергеевич сказал, что «разговаривал в прокуратуре», и они-де согласны возбудить уголовное дело по факту обнаружения скелетированных останков «неизвестных лиц». Для того чтобы это произошло — я должен указать место захоронения.

Я испугался и отказался.

Увы...

К моему величайшему сожалению, Сергей Сергеевич ошибся. Избави меня Бог, хотя бы на миг усомниться в его профессиональной компетентности. Нет. Просто все было очень-очень скоротечно, нервно, суетно. И Сергей Сергеевич поддался моему... «обаянию», что ли? И тому, что в прошлом я тоже... «служил». Не Абрамов виноват, а я. В тот миг он, Абрамов, расспрашивая меня, несомненно находился под впечатлением моей величайшей убежденности. «Главный череп» — Царя, чей же еще? Вот, смотрите — вещал я, — на черепе видна царапина. Это след от удара, который Государь получил еще наследником престола, в Японии, от сумасшедшего полицейского!

Абрамов засомневался, но я напирал и...

А «царапина» была всего лишь браком пленки или печати!

...Позже Сергей Сергеевич стал членом Государственной комиссии, ее экспертом и во всем разобрался, слава Богу, без моего присутствия, спокойно.

Череп «Николая II» оказался на самом деле черепом Анны Степановны Демидовой, «сенной девушки», горничной. Два других принадлежали дочерям Николая II. Экспертиза установила это. Я храню свердловскую газету, в которой автор — не без известной иронии — писал о том, что «Гелий Рябов совершил ошибку». Действительно...

Царь лечил зубы, они у него были серьезно больны, разрушены. Мы обнаружили на левой нижней челюсти крупного, мощного черепа золотой мост. Конечно же — мы даже не задумались о том, что мост этот весьма среднего качества.

А когда увидели матовые зубы у черепа, который был обнаружен в яме во время возвращения трех остальных, — нам показалось: металл. Горничная, конечно...

Позже, только позже, только в спокойной обстановке, во время экспертизы стало очевидным: не Царь, а горничная. Не горничная, а Императрица. Эти зубы были не из металла, а из платины. Виртуозная ювелирная и протезная работа.

Меня «проверяли». Я заключил этот глагол в кавычки не потому, что проверки эти носили характер фарса — отнюдь нет. Просто сейчас я отношусь ко всему этому с несомненной иронией.

Летом 1990 года прибыл эмиссар «заграничного центра». От эмиграции Первой волны. Он был сравнительно молод, но в юности успел отучиться, кажется, в Белградском кадетском корпусе. Эмигранты воспитывали свою молодежь в традициях.

Он сфотографировал мебель, картины. Открыто и доброжелательно объяснил: «У нас уверены, что портреты Романовых и вообще — картины и антикварные вещи — вам специально «поставил» КГБ. Чтобы ввести в заблуждение нас и всю мировую общественность».

Расстались мы дружески, он кажется понял, что я не лукавлю.

...Но эмиссар не поинтересовался, не взял в руки, не вздохнул и не прослезился ни над одной из этих вещей. А ведь была у меня чайная чашка с двумя перекрещенными косым крестом, под княжеской короной, буквами «К»; бокал с золоченым двуглавым орлом и вензелем «Н-П»; и еще одна чашка, трагическая, из сервиза погибшего в Алапаевске Сергея Михайловича.

Портреты и фотографии тоже не привлекли пристального внимания.

Впрочем, ничуть не сомневаясь в монархических убеждениях приезжего, могу сказать только то, что он, очевидно, был целиком сосредоточен на своей разведывательной миссии...

Эти вещи бесспорны по вкусу, но не роскошны. Я читал много раз, что Романовы роскошествовали на теле ограбленного ими народа. Эти обвинения сыпались в их адрес тогда, когда Семья жила в Зимнем, в Петербурге.

Когда же Романовы переехали на берег Финского залива и поселились в так называемой «Нижней даче», построенной для них специально архитектором Томишко, — обстановку в комнатах создали в стиле модерн, никаких роскошных вещей на даче не было, стены украшали в основном фотографии.

И начались восклицания. «Романовы живут,

как преуспевающие адвокаты. Вкуса у них нет. Всё буржуазно».

Оценки приходят и уходят только в связи с политической ситуацией.

На самом же деле не слишком большой (даже по нынешним меркам) особняк на берегу был придуман и создан для нормальной человеческой жизни без особых затей. Для Императора огромной России дом был чрезмерно скромным. Но разве это недостаток?

...Были и другие приезжие. Меня посетил священник Русской Православной Церкви Заграницей о. Виктор Потапов — со своей матушкой, Машей, урожденной Родзянко. Оба они отнеслись ко мне и к открытию с непостижимым доверием и сочувствием. От этих людей исходило добро, надежда; может быть, впервые в жизни я увидел священнослужителя, не отягченного национальными и политическими пристрастиями. Се человек...

А его жена, матушка, такая молодая, с прекрасным русским лицом... Я смотрел на нее и вспоминал, как горько и горестно предупредил некогда Государя ее... Дед? Не знаю, кем Маше приходился Председатель Государственной Думы Михаил Владимирович Родзянко. «Грядет страшная революция, и вы царствовать не будете», — сказал Родзянко Николаю II.

Разный подход...

У Михаила Владимировича — земной, прагматический, Председатель Думы не имел права не сказать Царю о том, что страшило, угнетало.

У Государя — религиозный, мистический: «Бог даст — ничего не будет». И ответ: «Бог ничего не даст...»

А мне кажется, что Господь дарует Николаю II и Его близким и вечную память здесь, на земле, и Царствие небесное — там...

И почет, искренний и радостный. Не современный Священный Синод — что ж, пусть... Синод будущего все равно присоединится к канонизациии той церкви, к которой принадлежит о. Виктор Потапов. Это будет.

...Когда я снимал свое первое кино — «Претерпевшие до конца», мне построили точную копию вагона, в котором произошло отречение. Мы долго не могли подобрать мебель для салона — все было слишком роскошно, на фотографии же то были совершенно простой столик, такой же диван, стулья, часы...

Какова же была моя радость, когда директор Петергофских музеев предоставил съемочной группе подлинную мебель и часы из вагона! И я лишний раз убедился в абсолютной скромности этих предметов...

Но случались события, которые пробуждали во мне и мысли, и уверенность в несомненном воздействии на всю эту историю Промысла Божьего.

Мы с Толей Ивановым приехали в Ленинград. Толя отправился на киностудию — готовиться и организовывать, я пошел в Зимний дворец — набираться впечатлений.

Сотрудники Эрмитажа читали мои публикации, видели программу Димы Захарова и встретили более чем доброжелательно. Заведующая отделом провела меня в комнаты северо-западного ризолита дворца (в тот день они были закрыты для посетителей) и показала, где были жилые помещения Романовых до переезда на «Нижнюю дачу», в Петергоф. Потом загадочно улыбнулась и подвела к крайнему правому окну (если смотреть с набережной). «Здесь есть автограф», — сказала и отодвинула штору. И я, обомлев (как еще сказать?), прочитал надпись, процарапанную на стекле: «Nicky 1902 looking at the hussare 17 march» Всё понятно: «Никки смотрел на гусар 17 марта 1902 года». Это могла написать только любящая женщина. Уже родились дочери, но еще не родился наследник, Алексей Николаевич. Они оба мечтают об этом рождении...

— Императрица сделала это бриллиантовым перстнем. А стекла во дворце стараются не менять... — сказала заведующая. И мне показалось, что Александра Федоровна только что отошла от окна и я еще слышу шелест ее платья.

А с набережной доносится цокот лошадиных подков. Он все тише и тише. Это кони уносят всадников в будущее. Оно уже просматривается. До его наступления ровно пятнадцать лет...

Судный день приближается. В начале 1990 года ко мне в Ленинград приезжают Саша Авдонин и Гена Васильев. Я знаю — зачем они и с чем, у меня дурное в связи с этим настроение. Не ладится с моим кинофильмом «Претерпевшие до конца». Я придумал сцену: Мавзолей (до войны еще), поток людей появляется у гроба Ленина и обходит его. Охрана НКВД на своих местах, часовые с винтовками у гроба. Примкнуты штыки. Течет людская масса, но вот ведь странность: люди — все — серого цвета, черно-белого, точнее. Они бесплотны,

243

прозрачны. А Ленин в гробу и чекисты — полновесны, полны жизни, румяны и телесны. Они иногда обходят гроб и... движутся сквозь людей как сквозь ничто. Директор картины сказал: «Дайте мне расписку. О том, что всю ответственность — если что — вы берете на себя. Иначе — никаких съемок». Расписку я дал и сцену снял.

Остался ли у меня вроде бы неизбежный осадок? Горечь? Нет. Даже тогда, когда писал: «Я, такой-то и такой-то, беру на себя...» — и тогда ничего.

Я был мальчиком, ребенком, в 1937 году мне было пять лет.

Но я помню, как сидели у стола родители, молча, нелепо, как сполохи автомобильных фар швырялись в наши окна, а на следующее утро отец говорил матери нечто очень страшное, потому что она менялась в лице.

Мог ли я обижаться на своего директора? Его семья и миллионы ей подобных пережили некогда то же самое и гораздо более печальное, ужасное, может быть.

У меня нет ни осадка дурного, ни претензий. Пройдет две тысячи лет, все успокоится и позабудется, и никто никогда ни от кого никаких расписок более требовать не будет.

...Толя сказал: «Это я снимать не буду. Ты сошел с ума!» (Не забудем, что у советской власти сила еще велика, пусть и формально. Толю можно понять). Сцену снял другой оператор.

...И вот — Гена и Саша.

— Россель звонил Ельцину, — начинает Саша. — Ельцин обещал нас принять. И решить. Проблему. С Романовыми.

Этот разговор мы ведем не в гостиничном номере (мало ли что), а в вестибюле какой-то станции метро.

— Вы, Гелий Трофимович, пойдете с нами? — осторожно спрашивает Гена. Он моложе нас с Сашей и оттого излишне почтителен.

— Ельцин вас не примет, — говорю безапелляционно.

— Почему? — удивляется Гена. — Ведь дальше тянуть нельзя!

— Нужно подождать, пока мировая общественность, члены Семьи Романовых вникнут в проблему, поддержат нас. А Ельцин... Ему на все это глубоко наплевать. Не оттого, что он плохой человек. А оттого, что он сын своего времени и своей партии и никогда этого из себя не вытравит. Никогда.

Саша пожимает плечами:

— Поехали с нами. Не дури.

— Не поеду. Будет компромисс. Ельцин «даст поручение». Вам уже некуда будет деваться, а я не примирюсь. Поймите: вы совершаете ошибку. Ничего хорошего из этого не получится.

— Ладно... — говорит Саша. — Тогда хотя бы напиши нам проект устава для фонда по Романовым. Мы хотим такой фонд создать и работать на его базе. Ты ведь юрист.

На следующий день я вручаю Саше и Гене проект — рукописный, правленый. Я придумал название: «Обретение». Саша и Гена согласны.

Позже этот проект попадет в руки свердловского сподвижника Саши. От первоначального текста не останется ничего, только название.

Ну, что ж... Я не в претензии.

Расстаемся тяжело. И я и они — мы все понимаем: отныне наши пути разошлись.

Я вижу, что они уходят с камнем на душе.

А уж у меня какой... Нет. Не камень. Глыба сродни той, что под «Медным».

Москва. Я вернулся, фильма «Претерпевшие до конца» больше нет. Диалог-банк — банк партии. Мой взгляд на события — чужд ему. Толя — не желая гибели фильма — оставляет только так называемые «кринолиновые сцены на траве», «красивые». Теперь кино называется «Искупительная жертва». Всё чинно, благородно, без обвинений в адрес «родной партии» и товарища Ленина.

Я не сужу Толю. Каждый может только то, что может. Я вот не смог.

Очень жаль.

Осенью 1990 года я приезжаю в Кемерово. Там состоится представление общественности консорциума «Тайна тайги». Житель станции Зима Анатолий Гордеев решил найти колчаковское золото и создал для этого консорциум[1]. Гордеев решителен, оборотист, напорист и искренне желает мне помочь с моей новой затеей: я хочу снять фильм об Александре Васильевиче Колчаке. Всё это горячо поддерживает и Вячеслав Михайлович Смирнов, Председатель правления Лада-банк, в Тольятти. Он полон дове-

---

[1] Антанта помогала последнему борцу с большевизмом А.В. Колчаку отнюдь не из идейных соображений, а за чистое русское золото. За оружие и снаряжение пришлось отдать огромное количество этого металла. Часть ящиков со слитками следовали с последним поездом Колчака, и на станции «Зима» — так утверждается — эти ящики были спрятаны в тайге, неподалеку от станции. Именно это золото и решил разыскать А. Гордеев *(Примеч. авт.)*

рия ко мне, потому что видел материал несостоявшегося фильма.

Главное: Гордеев предсталяет меня главе города Кемерово и области Аману Гумировичу Тулееву. Встречаемся в Облсовете, в кабинете Тулеева. Рассказываю обо всем. Говорю: «Чтобы откопать останки, нужны деньги. Чтобы привлечь мировую общественность — требуется с чего-то начать. Будет основа — тронется с мертвой точки всё. Альтернатива: все возьмет в свои руки какая-то группировка, группа — и делу конец. Но ведь Останки Романовых — это не товар, не правда ли?»

Тулеев согласен. Говорит осторожно, вдумчиво, каждое слово — на вес золота. Я понимаю. Он — глава советской власти здесь. Не знаю — почему я склонен ему — доверять, а Ельцину...

Не знаю.

Тулеев говорит:

— Если вы договоритесь с Росселем о таких же деньгах — мы дадим два или три миллиона — уж это как сможем. Дело хорошее. Необходимое сейчас. Нужно что-то сделать. Вспомнить. И о плохом — тоже. Чтобы не повторять.

Тулеев после того года бывал всяким. Очень всяким. Но я сохранил к нему безусловное уважение. Я до сих пор убежден: удалось бы договориться с Росселем...

Я не знал — кто такой и что такое Россель.

Обрадованный, я позвонил Саше в Свердловск, из гостиницы. Он выслушал меня холодно, скучно. Сказал, как гвоздь вбил:

— Уральцы не нуждаются ни в чьих деньгах и всё сделают сами.

Это был конец.

И наших добрых взаимоотношений.

И идеи праведного вскрытия захоронения.

В начале июня 1991 года, помнится, Саша позвонил мне в Москву:

— Приезжай немедленно. Ты очень нужен.

Я понял, о чем речь. Я понял: яму вскроют по-большевистски. Любой ценой. Совершенно секретно, в традициях ОГПУ. И, главное — лопатой. Откуда у господина Росселя иная техника и иные традиции?

Мне давно уже было ясно: чтобы не потерять абсолютно ничего из того, что находится в яме, — надо заморозить весь куб, изъять его, а затем...

Это понятно.

— Я не приеду.

— Совершаешь ошибку.

— Совершу, если приеду.

Мы взаимно-холодно положили трубки на рычаг.

Я дал телеграмму господину Росселю: «СВЕРДЛОВСК ОБЛАСТНОЙ СОВЕТ НАРОДНЫХ ДЕПУТАТОВ ПРЕДСЕДАТЕЛЮ СОВЕТА РОССЕЛЮ УВАЖАЕМЫЙ ЭДУАРД ЭРГАРТОВИЧ ВСКРЫТИЕ ЯМЫ С ОСТАНКАМИ РОМАНОВЫХ ДОРОГОСТОЯЩАЯ АРХЕОЛОГИЧЕСКАЯ ОПЕРАЦИЯ ЗПТ ПО УСЛОВИЯМ МЕСТНОСТИ КРАЙНЕ ЗАТРУДНИТЕЛЬНАЯ ТЧК НЕОБХОДИМ ПРОЕКТ РАСЧЕТЫ ДЕНЬГИ ДЛЯ ОПЛАТЫ РАБОЧИХ ОБОРУДОВАНИЯ ЗПТ СПЕЦИАЛЬНОЙ ОХРАНЫ МЕСТА ВСКРЫТИЯ ЗПТ ТАКЖЕ ЭКСПЕРТОВ ЗПТ НЕОБХОДИМО ОБЕСПЕ-

ЧИТЬ КОНТРОЛЬ СЕМЬИ РОМАНОВЫХ ЗПТ ЦЕРКВИ ЗПТ ИЗБЕЖАТЬ АЖИОТАЖА И ЛИШНИХ ЛЮДЕЙ ТЧК УБЕДИТЕЛЬНО ПРОШУ НЕ ТОРОПИТЬСЯ И ВЗЯТЬ ПОД КОНТРОЛЬ ГРУППЫ РЕКЛАМИРУЮЩИЕ СВОИ НАМЕРЕНИЯ О ПОИСКЕ СКОБКИ ПОСЛЕДНИЕ МОГУТ ПРИВЕСТИ ДЕЛО К БЕЗВОЗВРАТНОЙ УТРАТЕ ОСТАНКОВ ДЛЯ НАРОДА РОССИИ И ИСТОРИИ СКОБКИ СМОТРИ ПУБЛИКАЦИЮ КОМСОМОЛЬСКОЙ ПРАВДЕ С УВАЖЕНИЕМ РЯБОВ

Эта телеграмма была у меня принята по телефону, за № 144, 23 апреля 1991 года, с уведомлением о приеме по телеграфу. Вот это уведомление: «Ваша телеграмма 144067 23/4 Областной Совет Народных депутатов Росселю передана абонентской связи 23/4 2110 02 221066/2 ННН 0806 24.04.0004 подпись».

Предоставляю читателям судить об уровне моей неизбывной наивности. Как бы не так... Романовы, контроль, церковь...

Председатель Уралсовета Россель уже принял решение: быть в Свердловске и под ним «тропе боевой и политической славы». Тропинка народная и иностранная — от дома Ипатьева в Поросенков лог и обратно. С экскурсоводом. А какие «бабки» — если, конечно, получится?

Уже после событий снова позвонил Саша. Я сказал ему о телеграмме. «Ты что! — возмутился Саша. — Россель такой телеграммы не получал! Я это точно знаю!». В подтексте: не морочь голову. Не было никакой телеграммы.

Я не стал искать расческу для обритой наголо своей головы и промолчал.

В середине июля, днем, долгий зуммер междугороднего телефона. Снимаю трубку. «Гелий Трофимович?» — «Да, я. Это ты, Гена?» — «Гелий Трофимович, все произошло. Посчитал своим долгом позвонить вам, хотя и дал все обязательства о неразглашении. Так что — вот. Может быть — вы все напрасно? Не приехали?» — «Нет, Гена. Работали лопатами?» — «Да». Мы распрощались тревожно и нервно.

Еще через день снова звонок. На этот раз — режиссер Свердловской киностудии Сергей Мирошниченко.

У этого звонка есть предыстория. Сергей приезжал ко мне за год до событий, снимал интервью у меня дома, потом — в Доме Кино, где я рассказывал о гибели Семьи. Во время этого моего выступления произошел такой случай: я уже заканчивал свой рассказ, когда подумал вдруг, что все разговоры о гибели Семьи безнравственны. Они ведь информационны. Все переживания — они внутри нас. А во вне? Где хотя бы мизерный, пусть внешний, как бы, элемент покаяния? И я прочитал весь Мартиролог Романовых, упомянул их всех, всю большую погибшую от пуль и зверств Семью. И закончил: «Упокой, Христе Боже, их души и сотвори им вечную память...»

Зал встал.

По тем, давним уже временам, это был невозможный поступок зала. Слава Богу, что он произошел.

Сергей снимал тогда.

И вот теперь он позвонил и сказал, что в го-

250

роде ползут слухи: власть не то вскрыла захоронение, не то уничтожила, никто ничего не знает, Россель хранит гробовое молчание, его подчиненные тоже молчат или все отрицают. «Скажите, — спросил Мирошниченко, — что именно сделала власть в Свердловске? Вы знаете об этом?»

Всё уже произошло. Если бы Мирошниченко позвонил мне накануне события — не знаю...

Вряд ли я ему рассказал бы.

Теперь — несмотря на просьбу Гены Васильева — я решил раскрыть «тайну» свердловского губернатора, то бишь — Председателя Совета Народных депутатов, а еще точнее — Уралсовета. «В конце концов, — подумал я, — Сергей Мирошниченко хоть что-то и, главное, документально, зафиксирует на пленке». Я сказал:

— Поезжайте на Шувакиш. Там, у Мостоотряда, метров пятьсот в сторону города вы легко найдете болотистое поле. И увидите вскрытую, безобразно раскопанную яму. Эта яма — и есть искомое.

Мирошниченко позвонил мне еще через день, сказал: «Все нашли и сняли. Зрелище тягостное. В яме несколько пар резиновых медицинских перчаток, валялись доски — вероятно, остатки ограды».

Как глупо, в самом деле...

Ведь этот Мостоотряд обладал аппаратурой для заморозки почвы. Стоило только захотеть. Но товарищ Россель (в то время он был «товарищем») не пожелал.

Что ж, я понимаю Эдуарда Эргартовича. Мы выросли под неусыпным оком ОГПУ — КГБ. Все. Только немногие сбросили с себя шкуру змеи. Немногие — лишь частично освободились от тягостного бремени. Большинство, я думаю, радостно продолжает пребывать в объятиях ведомства товарища Дзержинского и радостно сделает всё, по первому требованию.

К какой категории отношу себя?

Хотелось бы верить, что к первой.

Хотя...

Каюсь: еще в 89-ом, когда «монах Денис» предложил распубликовать фразу о «зверском убийстве» Семьи большевиками — я, увы, запротестовал и попросил именовать это трагическое событие просто «убийством». Я ведь еще не написал товарищу Горбачеву. И не знал, что не получу ответа. Я еще верил...

Во что-то. И кому-то.

Из Свердловска (на Урале произнесли бы диалектно: «Свердловскива») приехал начальник Следственного отдела Областной прокуратуры Волков. Он позвонил мне и попросил придти в Прокуратуру РСФСР, на Кузнецкий, принести с собой документы и фотографии. Ведется, объяснил он, так называемая «доследственная проверка» — в зависимости от результата будет принято решение о возбуждении уголовного дела.

Как сказано в какой-то пьесе — «Зовут — идите». И я иду.

Волков мягок, он явно мне сочувствует, но он делает дело. Я предъявляю ему свои записи, фотографии. Он показывает мне мой крест, тот самый, из захоронения и говорит: «Возьмите. Это ваша вещь». Отвечаю: «Хорошо бы получить от вас письменное подтверждение по этому поводу. А то ведь скажут, что я этот крест выкопал из могилы в корыстных целях». Он смеётся, обещает все сделать, крест пока оставляет у себя.

Больше я не увижу творения рук своих, надпись. Но я верю: претерпевший же до конца — спасён будет.

Я догадываюсь: события приближаются.

Эта доследственная проверка убеждает всех причастных: вероятно, обнаружено захоронение Романовых. Прокуратура возбуждает уголовное дело. Через какое-то время создается Государственная комиссия по идентификации Останков.

Что там происходит — я не знаю. Я не член комиссии. Но однажды меня приглашает в Прокуратуру РФ (уже нет РСФСР) следователь, ему поручено вести дело. Это Владимир Николаевич Соловьев, уже не молодой человек, но и назвать его «человеком среднего возраста» — рука не поднимается. Он молод. Молод во всем: в мышлении, оценках, манере шутить и разговаривать. Он показывает мне невероятный раритет — «Дело» о покушении на Ленина Фани Ройд-Ройдман-Каплан. Следствие вел Яков Юровский. В этот момент он уже в Москве, в Московской, кажется, ЧК.

Интересно...

Если, конечно, забыть на мгновение, что всё, о чем мне приходилось читать по данному поводу, неумолимо свидетельствует: мятеж левых эсеров подготовил и организовал сам ПредВЧК — с целью устранения Ленина. Дзержинский был «левым коммунистом», на дух не принимал «похабного» Брестского мира, заключенного по инициативе и под патронажем Ленина, считал, что революция заблудилась и ее пути надобно исправлять.

Эмиссары Дзержинского убили немецкого посла Мирбаха, начался мятеж, во время которого Дзержинский руководил всем и вся, прикрываясь якобы своим пленением в эсеровском отряде.

Не получилось.

А в августе агент ВЧК Каплан, выполняя поручение Феликса, пытается убить Ленина на заводе Михельсона, после митинга.

На допросе Фани рта не открыла и никого не назвала, отвечая следователям, что ничего, никогда и никому «об этом» не расскажет.

Ее торопливо, на третий день (а то ведь разболтает, сволочь) пристрелил во дворе Кремля комендант Кремля матрос Мальков. И сразу же ее тело сожгли в бочке из под бензина во втором саду Кремля — этот садик существует до сих пор справа от Боровицких ворот.

...С этого дня Владимир Николаевич мне часто звонит, иногда мы встречаемся, теперь в роли слушателя я...

Комиссия проделала невероятную работу. В основе этой «невероятности» — он, Владимир Николаевич Соловьев. Я не могу не придти к убеждению, что подвиг Н. А. Соколова возобновлен и продвинут.

Помню, я получил на несколько дней ксерокс «Личного дела» Н. А. Соколова, Судебного следователя Пензенского Губернского суда. Более всего меня потрясло то, что уже при советвласти, продолжая служить, Соколов в определенный момент подает заявление о болезни и невозможности исполнять обязанности и уходит... в «отпуск», если мне не изменяет память. Отсюда начинается его долгий и славный путь — сначала в лаптях, в крестьянской одежде, втайне — к Верховному правителю, А. В. Колчаку, в Сибирь, в Омск. А потом путь в бессмертие.

Я далек от того, чтобы сочинять дифирамбы В. Н. Соловьеву. Когда-нибудь он сам расскажет свою одиссею, и все смогут оценить и уровень его профессионализма и уровень личности.

При всем при том он всегда прост и понятен, без тени фанаберии.

Один раз Соловьев пригласил меня на заседание Комиссии (был и другой раз, но я не смог по каким-то причинам).

Строгий, как в самое суровое режимное учреждение, проход в Белый дом. Это уже год, кажется, 1996. Все отремонтировано после событий «танковой атаки» 1993 года и даже потерлось и поблекло. Помню — стол заседаний в кабинете Юрия Ярова, тогдашнего Председателя комиссии, этот стол потерт и потерял свое былое великолепие.

Народу как на ярмарке. Суета, шумок, пустопорожние разговоры. Ко мне подходит тумбообразный квадратный дедушка и спрашивает: «Вы — Рабов?» — «Я — Рябов». — «Какая разница? Я — Магеровский. Председатель аналогичной комиссии, но только в США. Вы что же, верите, что нашли Романовых?» — «Уверен». — «А мы считаем, что все это полная и несомненная чепуха!»

Сажусь у стены, рядом с Радзинским. Он

посмеивается: «Познакомился? Забавные старички. Они тут такое несут...»

Выступает глава экспертной комиссии. Он ставит вопрос о награждении «своих сотрудников» за тяжкий труд.

Никто не спорит. Я, признаться, полностью согласен.

Но атмосфера...

Я однажды был у товарища Егорычева, будущего видного коммуниста. В то время я был «мент», я просил санкцию на арест проворовавшегося члена КПСС. Егорычев подписал мое ходатайство без звука, отдаю ему должное. Но на заседании Бауманского райкома КПСС и в его кулуарах обстановка была точно такая же, как и теперь: суетно-партийная.

Еще что-то обсуждается. Герольдмейстер из Петербурга показывает эскизы будущих гробниц Семьи в Екатерининском приделе Петропавловского собора. Я почтительно спрашиваю — почему бы не похоронить в склепе, который приготовил для себя и Семьи Государь в самом соборе? Ведь склеп на семь «мест» можно и расширить?

Ответа нет. Яров машет рукой: «Хватит об этом».

Саша раздает членам комиссии размноженное свое «мнение» плюс таблицы. Саша говорит: «Рябов там написал (имеется в виду «Родина»), что, мол, руки нащупывали новые и новые кости, останки, — так вот, ничего и никто не нащупывал, это неправда!»

Эх, Саша, Саша... Я ведь литератор. Чего не присочинишь ради усиления силы слова...

Но неправды в моих словах — тогда, в «Родине» — ни на гран единый. Я опускал руки в мутную жижу, я водил ими, сколько мог, и засовывал в глубину раскопа, и руки мои, пальцы мои — я не лгу! — нащупывали всё новые и новые кости! Это правда.

Снова возникает разговор о месте захоронения. Все осторожно высказываются за Санкт-Петербург, Петропавловский собор. Там все — от Петра и далее — к Николаю II.

Называется Москва. Храм Христа Спасителя.

Ну что ж... Известная логика есть: храм претерпел и восстал из пепла и Семья — тоже.

Многажды — с экрана ТВ, в прессе звучит голос Росселя: только в Екатеринбурге. Де, где убили, — там и похоронить. Обычай. Народный. Отцовский. Дедовский. Всяко-разный.

Озвучивается и эта идея.

Митрополит Ювеналий молчит.

Встаю: «Не хороните Пророков на том месте, где их избили отцы ваши. Ибо тем подтверждаете дела отцов».

Но... Николай II не пророк.

Отчего же...

Ольга Николаевна сообщила в одном из своих писем слова отца: крест грядущий будет еще страшнее (а разве не так!), но всё зло будет побеждено добром и любовью.

В такое очень хочется верить. Особенно сегодня. Когда любовь преподносится только с экрана ТВ и при чем — весьма изобретательно и занятно...

Выступает нервная, сдержанно-экзальтированная дама, Ольга Николаевна Куликовская. Она в возрасте, но все еще стройна, почти величественна. «Ваше высокопреосвещенство... —

это к митрополиту Ювеналию, — господин Председатель... — Это к Ярову, — господа... — это ко всем нам. — Все экспертизы — неправда, мне отказано в главной экспертизе, без нее — все должно подвергнуть сомнению!»

Речь идет вот о чем. Во время I-ой Мировой войны, уже перед революцией, сестра Государя Ольга Александровна — она работала медсестрой в лазаретах — вышла замуж за старшего адъютанта своего бывшего мужа, герцога Лейхтенбергского, — полковника Куликовского.

От этого брака родился сын, Тихон.

Впоследствии Ольга Николаевна вышла за Тихона замуж.

Потом Тихон Николаевич умер.

А Ольга Николаевна требовала, чтобы кровь, которую оставил супруг, ныне покойный, в пробирке, в сейфе — исследовали, определили генетический код и сравнили этот код с уже установленным двумя предыдущими комиссиями экспертов — американской и английской, а также, вновь, с кодом Останков. Ольга Николаевна желала чтобы экспертизу провел профессор Рогаев, единственный ученый, которому она, Куликовская-Романова, доверяла безусловно.

Это заявление было принято к сведению комиссией.

...А я слушал Ольгу Николаевну и вспоминал, как, кажется, за год до того я приехал к о. А. — он пригласил меня на встречу с Ольгой Николаевной. Та, видимо, хотела убедиться — до какой степени я человек нечестный.

Встретились, всё было чинно и даже мило, Ольгу Николаевну сопровождал батюшка с острым лицом и диктофоном. Меня попросили рассказать — я это сделал. Мне задали вопросы — я на них ответил.

— Вы, я вижу, совершенно уверены в том, что это останки Царской Семьи... — задумчиво сказала Ольга Николаевна.

— Совершенно уверен.

Она подарила мне иконку св. Иоанна, Архиепископа Сан-Францисского, кто-то из присутствующих заметил по обыкновению, что «во всем виноваты жиды», Ольга Николаевна не поддержала этот пассаж, мы расстались почти дружески.

Но во всех своих последующих выступлениях Ольга Николаевна высказывала по отношению ко мне... резкое недоверие, назовем это так.

Сергей Никитин, эксперт-криминалист, скульптор, показывает присутствующим вылепленные из пластелина головы, восстановленные методом профессора Герасимова по черепам из ямы. Оторопь берет...

Они, эти лики, отнюдь не фотографическая копия погибших, впрочем, этого и не может быть! Ведь Никитин никого не обманывает — он предъявляет свой каторжный труд!

Но похожи, так похожи, сходство столь очевидно, что сердце замирает, и пластилин этот, воплотившийся в некогда бывших, потрясает до глубины души.

Но это никому не интересно.

А ведь большинство присутствующих видят все это в первый раз!

Магеровского, Куликовскую — их можно понять. Для них эти головы — заказные штучки-дрючки. Для них критерий один: что мы сами сделали — тому можно верить.

Но Брагин, например?

Заместитель Генерального?

Митрополит Ювеналий?

Помню, в школе еще была такая игра: «Ты в трамвай веришь?» — «Нет. А ты? В телефон?» — «Не верю», — и так далее.

Не верить можно никому и ни во что. Каждому свое...

...Что я запомнил?

Каменное лицо заместителя Генерального прокурора.

Жгучий взгляд господина Брагина, бывшего Председателя Гостелерадио.

Ироничного Радзинского.

По-большевистски делового Ярова.

Поносное выступление Магеровского.

Сонное безразличие всех остальных.

Читателям следует объяснить, откуда этот брагинский жгучий взгляд.

В 1994 году я принес Брагину 10 кассет фильма «Конь белый». Я не подумал о том, что Брагин всегда был и навсегда остался человеком левых убеждений.

Брагин вернул 9 кассет. Куда делась 10-ая — я не знаю.

Мне передали на словах, что Председатель Гостелерадио отвергает фильм — за показ революции и гражданской войны «неверно», за жестокость и безысходность. По секрету мне сказали, что сцену пьянствующих перед расстрелом Семьи большевиков Брагин и его гости (не буду называть тех, кто с ним смотрел, я в зале не был) переварили с трудом и были весьма серьезно огорчены.

Наверное, увидев меня, Брагин вспомнил что-то и на всякий случай взъярился немного...

...С благодарностью вспоминаю Бэлу Куркову, Правдюка — руководителей «ГТРК 5-й канал Санкт-Петербург». Даже в те, казалось бы, уже свободные от «указивок» отдела культуры ЦК времена последовала «рекомендация»: фильм «Конь белый» на экраны ТВ не выпускать!

Петербургское телевидение показало все десять серий. Многие тогда увидели и смерть Романовых, и их жутковатые «похороны», и гнусность войны, развязанной Лениным и его партией, против собственного народа. «Превратим войну империалистическую в войну гражданскую!» — истерично кричал Ильич и до революции и после. Он знал, что делал, знал — зачем.

Московский 31-й канал рискнул показать картину. И больше никто.

Месье Шепотинник — идеолог 6-ого канала сказал: «Ну что ж... Я все это знаю. Неинтересно». Это — после просмотра.

Позже заведующая показом изрекла: «Народ любит комедии. Этого ему не надо».

Трудно спорить...

В начале 1998 года позвонил Владимир Николаевич Соловьев и рассказал, что, переборов себя и определенным образом рискуя, он провел экспертизу крови Тихона Николаевича Куликовского и результат превзошел все ожидания: все совпало до запятой. Так как эту экспертизу проводил именно профессор Рогаев — у Ольги Николаевны больше не могло быть никаких возражений. И путь к захоронению Останков вроде бы был открыт.

Я написал «вроде бы» не случайно. «Гробовая змея» подползала не только к князю Олегу. Она подползла и ужалила Останки Царской Семьи.

Член комиссии, митрополит Ювеналий высказал — при общем согласии Священного Синода «Особое мнение»: подождать, пока наука 3-его тысячелетия сможет без запятых[1], твердо, сказать: это — Романовы и тогда, только тогда — хоронить останки как Останки Романовых. А до того — «похоронить во временной символической могиле».

Я понимаю: зачем Высокопреосвященному знать, что во всем мире суд приговаривал и до сих пор приговаривает виновных к различным видам смертной казни (не к похоронам их останков!) на основании дактилоскопических отпечатков, на основании фотографического совмещения черепа убиенного с его прижизненным портретом (а ведь обвиняемый отрицает свое знакомство с этим человеком и поди, проверь... Череп — это не лицо), на основании совмещения запаха, оставленного на месте убийства с запахом подозреваемого.

Генетическая экспертиза, проведенная трижды, и даже с кровью Тихона Куликовского, — исключает и подлог, и ошибку.

---

[1] Доктор медицинских наук, эксперт-генетик Иванов П.Л. считает, что достоверность принадлежности Останков равна 99,999999999. Это — практически абсолютная достоверность! *(Примеч. авт.)*

Но разве в этом дело? Зачем доводы тем, кому в данный момент — «стрёмно»?

С криминалистической идентификацией Останков хулители не согласны. Что такое криминалистика... Ей всего-ничего — сто лет. Разве ей можно доверять?

Еще моложе генетика. Коммунистические недоучки называли ее буржуазной девкой. И кто бы мог подумать, что у учеников Высшей партшколы найдутся в конце столетия восхищенные последователи...

В 1972 году в Берлине были найдены скелетированные останки человека, во рту которого нашедшие заметили осколки тончайшего стекла. Некогда этот человек покончил с собой с помощью яда. Так обыкновенно поступали руководители Третьего Рейха. Предположили, что скелет принадлежит некогда бесследно исчезнувшему Мартину Борману, заместителю Адольфа Гитлера «по партии».

Какие знакомые, какие родные людям старшего поколения слова... В наши дни немецкие генетики вернулись к неопознанному скелету. Чтобы доказать, что это именно Борман, потребовались именно генетические исследования. Ведь Бормана... видели. Раньше, в прошлые годы. И не один раз, в разных странах.

У нас тоже... видели Николая II и членов Его Семьи: в Перми, в Грузии (Государь там и был похоронен, как это утверждали газеты 90-х), еще где-то, а также, наверное, и на полях, где Государь с Семейством пахал и сеял.

Чего не увидит инспирированный коммунистами человек...

Родственники Бормана, ныне живущие в

Германии, дали для сравнительного генетического анализа свою кровь. Анализ подтвердил абсолютное тождество молекулы ДНК найденного скелета молекулам ДНК родственников Бормана. Молекулярная «дактилоскопия» сработала, как и всегда, безошибочно.

Правда, в Германии живут психически нормальные люди.

Экспертиза по делу Бормана доказывает (по ближайшей аналогии) абсолютную чистоту исследования Останков Государя, Его Семьи, людей.

...И вот Рейсхлейтер нацистской партии, обергруппенфюрер СС, соратник Гитлера, палач и убийца Мартин Борман будет похоронен. Его останки немцы предадут земле.

Видимо, потому, что там, в Германии, никто не закончил ни Духовную семинарию, ни Духовную Академию.

По необразованности, должно быть...

А Останки страстотерпцев знатоки призывают положить в нечто непотребное, чего и в языке русском никогда не было: «символическую могилу».

Не скажу: «Бог в помощь вам».

Потому не скажу, что всё это невежество. Обскурантизм. То есть — мракобесие.

А вообще-то — в каком каноне, или у отцов Церкви, или в Писании отыскал многоуважаемый иерарх упоминание о «символической могиле»?

У Ленина — могила действительно «символическая», да ведь ее придумал Сталин.

У православных (и любых других!) останков не может быть ничего «символического». Не бывает такого. Сегодня и армия отступает от уставов сплошь и рядом, но Церковь...

Она действует только по традиции писаной и неписаной, она — ни шагу вправо, ни шагу влево.

Дело в другом.

А вот придет после Б. Н. Ельцина новый Президент или Генеральный секретарь или... Неважно. Вот он пусть и решает. Куда Останки, куда кого. Кого в тюрьму, кого в концлагерь, кого — к стенке.

Понять можно.

Простого человека.

Но воина Христова...

Впрочем, я уже упоминал: сегодня в нашей стране таковых, наверное, нет, или мы их не знаем. А те, кого знаем...

Они весною 1998 года двинулись крестным ходом вокруг Кремля — с хоругвиями, иконами, предводительствуемые духовенством. «Не хоронить екатеринбургские останки! Ибо если они — Романовы — они святые! А если не Романовы — чего время тратить!»

В Петербурге стотысячный митинг под красными знаменами требует не хоронить Романовых, а отдать деньги на зарплату страждущим.

Жаль голодных измученных людей, но разве так трудно понять: перевернутая страница — открывает следующую, и есть надежда, что на ней не будет написано смертных приговоров, голода и разрухи.

Оставшись на странице раскрытой...

Что есть — то и будет. До окончания времен.

Да неужто же Священный Синод не знает, что святыми нарекают только один раз! И крестят только единожды — я уже упоминал: в церкви всё очень и очень строго.

Откуда же такое послабление — к себе, самим себе, к кому же еще?

Русская Православная Церковь Заграницей уже признала Романовых святыми, канонизовала их! Это нельзя повторить.

Не знаю — можно ли присоединиться.

Надеюсь, что можно.

Но этого не будет.

Может быть — после двухтысячного года.

Или в конце третьего тысячелетия, когда любые пертурбации — с кровью, трупами и прочим станут не-воз-мож-ны!

...А «левые» взорвали памятник Государю работы Клыкова. Сломали памятный крест в Екатеринбурге и подожгли часовню. Пытались взорвать памятник Петру I в Москве. Обещали взорвать Петропавловскую усыпальницу, если в ней похоронят Романовых.

Никчемное у нас Правительство, слабое.

И Президент молчит.

Почему?

Я обращался к Ельцину. Я просил его. Умолял. Да сделайте вы наконец-то, что должно. Газеты не рискнули опубликовать. Только «Родина».

Но Борис Николаевич промолчал... Как когда-то Михаил Сергеевич...

Но вот, кажется, свершилось. Комиссия Немцова принимает однозначное решение. Это — Романовы. Их следует похоронить в Санкт-Петербурге, в родовой усыпальнице.

Но... «Русский дом» на ТВ — против. Те, кого приглашает в программу ведущий, доказывают эмоционально, страстно: «не они!» Но доводов, реальных, почему-то не приводят. Только эмоции. В газете выступает префект Музыкантский. Он согласен с позицией Патриархии: раз часть народа — против — не хоронить!

Или — в символическую их! Туда!

Доктор исторических наук Молева требует документы: а вот найдите и покажите общественности расписки возчиков, которые перевозили трупы Романовых; расписки землекопов, которые копали яму в Поросенковом логу. Эти документы — с точки зрения уважаемого профессора — докажут непреложно, что тела, останки, скелеты — те.

О, Господи... Да была ли в России гражданская война? И знает ли профессор истории о том, что это такое?

Идет поносная кампания, безудержная, неумолимая... Но — зачем? Чего добиваются эти люди? Найти истину они хотят? Я перестал читать газеты, почти не смотрю телевизор. Сколько можно? Агент КГБ... Полковник милиции... Искал в могиле драгоценности для Щелокова... Подложил в яму останки других людей... Подложил головы Романовых (из подвалов Кремля)... Торговал останками в Лондоне... Осквернитель могил — общественность требует привлечь к уголовной ответственности... Хранил кости Романовых под кроватью... Носил эти кости в заплечном мешке... Даю интервью, чтобы заработать деньги... Как надоела эта милая вакханалия... Как я устал от нее... Но я убеждаю себя: ничего. Я выстою. Потому что и в правой и в левой руке — у меня оружие правды. Остальное — не имеет значения.

Что произойдет 17 июля 1998 года? И произойдет ли? К сожалению, ни Президент, ни Комиссия, ни мы все — никто не понимает, что похороны зверски убиенных мучеников — не простое физическое дело, но дело мистическое, метафизическое, если угодно.

Пушкин еще в веке XIX горестно заявил, что у русских нет философии, потому что нет метафизического языка.

Язык появился. Бердяев, Ильин и с ними другие доказали это. Но у большинства, а также и у микроскопического меньшинства наверху — в Кремле ли, в Даниловом ли монастыре — метафизического мышления так и не образовалось, не возникло.

Сакраментальный вопрос: а что нам за это будет, что с нами сделают — вот печальный итог сегодняшнего дня.

Всё складывается так, что Святейший Патриарх Всея Руси не проводит в последний путь Государя, Его Семью, Его людей. Ибо если могила должна стать «символической» и только наука будущего даст ответ, кто именно находится в этой «могиле», — тогда понятно: Священный Синод и Патриарх будут отсутствовать. По причинам вполне физическим.

Будут ли служить над убиенными, и если да — то кто? Простые санкт-петербургские батюшки? В этом нет ничего дурного (кроме нарушения Правил Императорского Двора, по которым Государя в последний путь провожает высшее духовенство), но кого будут поминать священники? Если «Николая, Алексия, Александру, Ольгу, Татиану, Марию, Анастасию, Иоанна, Алексея, Анну» — тогда почему этого не может сделать Святейший Патриарх?

На самом деле всё это отнюдь не «загадки». Это беспринципность, выраженная весьма ярко. Это — о с т о р о ж н о с т ь, которую иначе как т р у с о с т ь ю не назовешь! И последний вопрос. Может быть, представителей Православной Церкви и вообще не будет? Тогда единственно правильное решение — обратиться к Папе римскому и попросить совершить последование погребения — разумеется, если Папа верит в то, что это — Романовы.

Господу безразлично — кто ему служит. Ибо нет лицеприятия у Бога. Разделение церквей — дело сугубо человеческое. К Божескому это не имеет отношения, ибо т р а д и ц и я — не от Бога, а от людей.

Священство (включая Иерархию, естественно) — связующее звено между членами Церкви и Господом. В момент отправления таинств, во время службы — священники усиливают наше общение с Богом — в этом их Богоданная миссия.

Должна ли Церковь, священство, иерархия воспитывать паству?

Бесспорно. Но вспомним Христа: он у ч и л Апостолов и всех тех, кто следовал за Ним. Но Он н и к о г д а и н и ч е г о н е з а п р е щ а л. — разве что кощунство и непотребство. Вспомним изгнание торгующих из храма «Запрещаю» — это глагол, обращённый к бесу, дьяволу, но не подобию Божескому, человеку.

Странно... Ретивые чиновники по просьбе Иерархии (?) однажды выключили свет в целом районе — дабы паства не соблазнилась в связи и по поводу фильма Скорцезе — «Последнее искушение Христа», другой раз фильм призывали з а п р е т и т ь.

Господь есть сущность мира, его идея. Эта идея не требует умопостижения, но только в е р ы.

Однако любые попытки у г л у б и т ь с я в Х р и с т а, п о н я т ь Е г о — во благо, даже в том случае, если какие-то движения и позиции ошибочны. Ибо Христос отнюдь не догмат и, тем более, раз и навсегда осмысленная человеками позиция, но предвечная субстанция, постижение которой, искреннее и трепетное, может только приветствоваться.

Фильм Скорцезе — именно это. Подходить к произведению и с к у с с т в а с мерками Идеологического отдела ЦК ВКП/б/ — не Божеское дело, уверен в этом... Мы же нарастающе получаем о р г а н п о л и т и ч е с к о г о воспитания и управления, но не с л у ж и т е л е й, кои вместе с нами общаются с Господом и способствуют этому общению.

Печально, но фактический з а п р е т на похороны Р о м а н о в ы х ф а р и с е й с к о е разрешение х о р о н и т ь н е и з в е с т н о к о г о в с и м в о л и ч е с к о й м о г и л е — звенья всё той же цепи. Эти разъедающие душу и сердце человека «звенья» Христос называл словом, понятным всем: г о р д ы н я.

Не мое дело выносить приговоры, судить. Я посмел, осмелился высказать беспокоящее меня ощущение. И только.

Испытание, которое послал нам всем Господь, — к вящей Его Славе. Всё разрешится. Во благо.

Не сомневаюсь в этом. Но...

Я пишу всё это еще раз в апреле 98-го.

Впереди два с половиной месяца. И — кто знает? Может быть, Господь просветит Священный Синод?

...С того дня (какой он был солнечный и яркий, и как прозрачен был воздух, и небо — высоко-высоко...) прошло девятнадцать лет. Иногда мне снится дорога в лесу, переезд — на том самом месте, где некогда стояла будка Якова Лобухина, и лог — он открывается вдруг, неожиданно, он словно огромное тихое кладбище, но холмики никому не видны. Мне кажется и мнится, что вокруг Государя лежат миллионы Его подданных, некогда Его предавших и потому закономерно исчезнувших с лица земли под ударами неправедной, злой власти, не помнившей ни родства, ни добра.

Но все равно: все вместе. Государи святые, молите Бога о нас.

Праведных, палачах, равнодушных и безразличных. Ибо нет — повторю слова Апостола — лицеприятия у Бога. И каждый, всё равно каждый, может просить. И надеяться...

Всё очень сложно сегодня. И вчера было и позавчера. И будет. Для того и жив человек, чтобы очиститься страданием. Другого не дано.

И потому — когда вдруг по слабости или грусти спрашиваю я себя: а нужно ли было, а стоило ли? Всегда, преодолевая, отвечаю: да. Ибо прорыв в Царство Свободы — это усилие. «От дней же Иоанна Крестителя Царство Небесное силою берется, и употребляющие усилие, восхищают его» (от Матфея, XI, 12).

Сергей Сергеевич Бехтеев переложил письмо дочери Государя, Ольги Николаевны, в стихах:

Отец всем просит передать,
Не надо плакать и роптать,
Дни скорби посланы для всех,
За наш великий, общий грех.

Он все обиды позабыл,
Он всех врагов своих простил.
И за него велит не мстить,
А всех жалеть и всех любить.

Он говорит: мир тонет в зле,
Иссякла правда на земле,
И скорбный крест грядущих дней
Еще ужасней и страшней.

Но час пробьет, придет пора,
Зло одолеет власть добра,
И все утраченное, вновь,
Вернет взаимная любовь.

Любовь — это полнота бытия. Это то, чего не хватает нам всем...

После написанного

Заканчивается май. Ни патриарх, ни президент не изменили пока своего решения и присутствовать на похоронах по всей вероятности не будут.

Но изменил свое решение мэр Москвы. Он сегодня считает, что Останки вызывают сомнение (в январе сего года считал, что это — Романовы), а посему руководители других государств на похороны не приедут.

Изменила свое мнение и княгиня Леонида Георгиевна. Теперь она считает, что короли и королевы Европы на похороны Останков не приедут. Надо полагать — и сама Леонида Георгиевна из-за сомнений присутствовать не будет.

Что предлагает руководство Свердловской области?

Передо мною проект похорон, составленный этим руководством. Главное в нем — «сократить количество участников, принимающих непосредственное участие (тавтология, но на редактора в Свердловске не тратятся, сами грамотные) в траурной церемонии, и максимально сократить маршруты перемещения останков (а чего их, в самом деле, с большой буквы писать). Такой подход позволит более экономно решить вопросы, связанные с проведением церемонии.».

Как все знакомо... Экономика должна быть экономной. Раз «останки» не наши — чего и тратиться? Люди зарплату не получают...

В Петербурге церемониал торжественный. Войска, оркестры, духовенство — уважение и почет во всем.

Кроме одного.

В проекте гробы именуются «ковчежками». Почему? Потому что в екатерининском приделе Петропавловского собора нельзя выставить в ряд девять полноценных гробов. «Ковчежки» маленькие — гробики, а не гробы. Под стать помещению...

Я до сих пор не понимаю, почему нельзя было расширить склеп, приготовленный по повелению государя в 1907 году справа от Царского места, у второго входа в собор. Склеп был сделан на семь гробов. Сегодня их, гробов, девять, даже если и найдутся Останки Алексея Николаевича и Марии Николаевны — им бы хватило места в этом склепе. И все было бы п р и л и ч н о. Может быть, дело в том, что хоронят о т р е к ш е г о с я и м п е р а т о р а? Как глупо...

И все же, и все же...

Промысел Божий вершит делами и помыслами человеческими. И все еще может многажды перемениться. Будем верить, что во благо...

Я хотел бы обобщить позиции и выводы тех, кто никому и ничему не верит. Но вначале несколько слов о том, что произошло в действительности.

Большевики перевезли Романовых из Тобольска в Екатеринбург с целью уничтожения Семьи. Это уничтожение произошло в ночь на 17 июля 1918 года. Трупы постарались скрыть как можно более тщательно, обстоятельства сокрытия подтолкнули Юровского к беспрецедентной акции в истории криминалистики: голые трупы «надежнейший коммунист» бросил в дорогу.

Теперь о домыслах, ни на чем достоверно не основанных.

Трупы Романовых разрубили на куски (неподтвердившееся убеждение Н.А. Соколова), сожгли на кострах и в серной кислоте (эти трупы — кроме всего прочего растворяли — по убеждению некоторых — в специальных ваннах) и уничтожили таким образом бесследно.

И снова несколько слов об истории реальной. Большевики инспирировали общество слухами, сплетнями и вымыслами о том, что Государя похоронили в лесу; о том, что Семью видели в Перми; о том, что там же, в Перми, состоялся процесс над эсерами — их обвинили в бессудном уничтожении Романовых; распространялись слухи и о том, что Романовы живы, стали крестьянами и хлебопашествуют. Эти слухи распространяются и по сей день.

На чем настаивают «искатели истины»?

На том, что несколько позже, уже ГПУ, расстреляло девятерых, ни в чем не повинных граждан, специально подобранных в соответствии с составом Семьи, зарыло их в Поросенковом логу, и приказало Юровскому и историку Покровскому сочинить сказку о секретном захоронении трупов и якобы сожжении двух тел в стороне от основной ямы.

Далее, уже в 80-е годы, КГБ СССР поручил своему секретному агенту Рябову «обнаружить» останки, обнаружить «подставу» — чьи-то скелеты, и выдать всеми мерами и средствами за останки Романовых, при информационной поддержке «продажной прессы» и не менее «продажных ученых» и следователей.

Кроме того, Рябову поручили вернуть (положить заново?) три некогда отрезанных Юровским головы от тел подлинных, настоящих. Что Рябов и сделал, отчего в «могиле» и появились «настоящие головы». (Но — настоящие ли? Наверняка и эти — тоже поддельные!)

Браво, господа!

Вы превзошли Александра Дюма-отца, Братьев Гримм и даже писателя Доценко! Вам можно только всласть поаплодировать, что я и делаю каждый день с глубоким удовлетворением.

Гениальность наших органов госбезопасности многократно доказана и не подлежит обсуждению (видимо, так считают оппоненты?).

Еще в 1918 году и позже Дзержинский, Менжинский, Ягода и Ежов предвидели развитие событий. Они знали: советвласть крахнет и все произойдет так, как произошло в 1991 — 1993 гг.

Посему перечисленные выше лица оставили политическое завещание и служебную инструкцию — на дальнейшее.

А цель? Какова цель верных ленинцев — в интерпретации «искателей истины»?

Первую часть этой цели я уже огласил: убедить весь мир, что Семья Романовых расстреляна и похоронена; или исчезла бесследно; или жива и гуляет по полям и весям с целью расширенного воспроизводства зерновых.

А на самом деле?

Ну, без вопроса, как говорится.

О чем главная забота партейцев?

О том, чтобы народ был сыт, обут, одет, имел, что одеть и надеть, а также крышу над головой. Посему — Романовых препроводили немцам, а взамен получили уменьшение контрибуции по Брестскому миру; трактора и паровозы; кредиты — на восстановление ими же самими порушенной жизни; продовольствие и технологии. Восторг и упоение...

Все это Ленин со товарищи сделали под честное слово Вильгельма II и всех последующих руководителей Германии, включая фюрера: никогда и ни при каких обстоятельствах не разглашать суть этой сделки. И, кто знает...

Романовы тихо доживали свой век при развевающихся красных знаменах национал-социализма, а позже, инкогнито, радостно встречали советские танки у Рейхстага, позабыв все обиды и все простив.

Как трогательно, не правда ли?

Ничего особенного, я просто восстановил картину. И логика есть: Вильгельм дал Ленину 60 миллионов золотых марок на революцию, помог, отчего бы Кайзеру и Председетелю и дальше не дружить?

Паранойя...

РЕЗОЛЮЦИЯ ОБЩЕСТВЕННЫХ СЛУШАНИЙ ПО «ЕКАТЕРИНБУРГСКИМ ОСТАНКАМ»

Гербовый зал Государственной Думы Федерального Собрания Российской Федерации

Москва, 21 мая 1998 г.

Заслушав доклады и выступления предыдущих экспертов, специалистов, общественных и религиозных деятелей, участники Общественных слушаний приняли следующую резолюцию:

1. Признать решение Правительства РФ об идентификации «екатеринбургских останков» с членами семьи последнего Российского Императора Николая Романова, принятое на основе мнения нескольких назначенных чиновников и следователя, противоречащим основам правового государства и общемировой практике: подобное решение является прерогативой судебной власти.

2. Вопрос о проведении символического государственного ритуала захоронения жертв гражданской войны имеет общенациональное значение. В связи с этим признать характер работы Правительственной комиссии и процедуру принятия решения самим Правительством РФ недемократичными, направленными на скрытие от

широкой общественности, от народа России подлинных фактов екатеринбургской трагедии. Данное обстоятельство объективно ведет к усилению раскола в обществе и восстановлению гражданского противостояния на момент расстрела членов семьи Романовых в 1918 году.

3. Поддержать позицию Священного Синода Русской Православной Церкви.

4. Признать выводы экспертов Комиссии Правительства РФ по ряду принципиальных позиций бездоказательными и не выдерживающими критики с иных позиций. Считать необходимым проведение дополнительного гласного расследования.

5. Обратиться к Президенту России Б.Н. Ельцину, Председателю Правительства России С.В. Кириенко, Государственной Думе РФ, Совету Федерации РФ, Святейшему Патриарху Алексию II и Священному Синоду Русской Православной Церкви, Генеральному прокурору РФ Ю. Скуратову и довести до них данную резолюцию. На сегодня главное — не разрушить хрупкий гражданский мир в нашем обществе, не допустить нового противостояния, не возбудить политическими спекуляциями новой смуты.

Председатели Оргкомитета Общественных слушаний по «екатеринбургским останкам»:

Депутат Государственной Думы:
Д.О. Рогозин.
Председатель Общества «Радонеж»:
Е.К. Никифоров.

Читателям, я думаю, будет небезынтересно узнать о том, на каком фоне и в какой обстановке возник этот документ.

Я пришел в Государственную Думу без двадцати одиннадцать, у входа уже стояли приглашенные, постепенно мы начали «втягиваться» в фойе через магнитные ворота (меня попросили все выложить из карманов, но это не обидно, это все же лучше, если, не дай Бог, взлетит на воздух бывший Госплан СССР).

Когда-то я жил в доме №4 по улице Горького. В те дальние годы наш двор отделял от Госплана не мощный кованый забор, как ныне, а обыкновенный, деревянный. То было время, когда это и другие подобные здания охраняло министерство госбезопасности СССР. Мы играли в футбол, однажды мой приятель из 1-го подъезда, Левка Чернов отправил мяч на территорию Госплана и, чтобы вернуть столь ценный предмет (шел 1947 год), влез на забор и попросил офицера охраны «подать мячик». Тот обругал Левку матом. Тогда парень спрыгнул на территорию, схватил мяч и тут же был уложен на землю ударом ноги в сапоге. Выскочили охранники, уволокли нашего приятеля, а мы помчались к нему домой, его отец уже вернулся с работы. Иван Александрович носил армейскую форму, но мы знали о том, что служит он на Лубянке Начальником секретариата МГБ СССР.

— Идемте, — сказал полковник, на ходу застегивая китель.

Мы вошли во Второй подъезд, толпой, словно цыплята за курицей. Чернов с порога раскрыл удостоверение, офицер побелел.

— Начальника охраны — ко мне... — негромко приказал полковник.

Явился кто-то с прыгающими губами.

Привели Левку, глаз у него был подбит.

Майор что-то лепетал.

— Пошел вон, болван. Тебя будут судить! — полковник удалился первым, мы — за ним. Хорошо было в те времена иметь такого папу...

...И вот теперь я стоял в том же вестибюле, на том же самом месте, охрана тщательно проверяла всех, наконец мы оказались в Гербовом зале.

Что сказать...

В воздухе пахло серой и дымом. Ненавистью пахло. За длинным столом восседали какие-то люди в штатском, некоторые были в рясах, с наперсными крестами. Возглавлял почтенное собрание депутат Госдумы, глава Конгресса Русских Общин Рогозин — вполне благополучный, румяный молодой человек в добротнейшем костюме, со значком депутата на лацкане. Он повел собрание.

С первых секунд стало ясно: истину никто не ищет. Следователь Соловьев, группа экспертов по уголовному делу об убийстве Романовых, руководитель группы советников Вице-Премьера Немцова — Виктор Аксючиц и аз, грешный, оказались...

Не на дискуссии — говорили в основном оппоненты. Яростно. Непримиримо.

В застенке мы оказались — так мне показалось.

Нас стремились унизить, распять, растоптать.

Зачем?

Не знаю.

Почему?

Ответ очевиден. Почтенному собранию (по моему ощущению) истина о секретном захоронении трупов и доказательства принадлежности этих трупов Семье и людям Семьи были нужны не более, чем рыбе — зонтик, чем прыщ на том, на чем сидим.

Почтенному собранию надо было высказаться. Говорили все. Кто во что горазд.

Экзальтированный профессор юриспруденции с большой бабочкой-галстуком объявил, что мы с Авдониным совершили кощунство, разрыли... могилу. Вот ленинцы во главе с Яковом Михайловичем Юровским, Голощекиным, Свердловым, Троцким, Белобородовым и прочими, надо полагать, торжественно похоронили Царскую Семью, швырнув голых покойников в дорогу. А мы — мы надругались.

В адрес Соловьева несли околесицу, редкие дельные словосочетания тонули во мгле нелепостей и чуши.

Представитель Иерархии огласил суждение

последней. Оказывается, иерархия, поднявшись над всеми нами, над обществом, призывала только к одному: спокойствию, терпению, не дай Бог — совершению братоубийства из-за «Екатеринбургских останков», научные же доказательства... Да Бог с ними, чего уж там... Но странно: наиболее непримиримые высказывания наших оппонентов вызывали... бурные и продолжительные аплодисменты честных отцов. Это ли спокойствие и терпение?..

Общий тон, увы, свидетельствовал о чем угодно, только не о поиске истины.

Точку поставил господин Рогозин. Когда Виктор Аксючиц стал говорить о предполагаемых действиях Правительства, о работе Комиссии — Рогозин высказался вполне определенно, в том духе и смысле, что Правительство не пользуется доверием Думы, что оно навязало Думе весьма определенных людей и посему верить какой-то там Правительственной комиссии нет ни малейших оснований, как, впрочем, ее следователю и экспертам.

Я никогда не видел депутатов и их ярых сторонников так близко, я никогда не видел так близко их глаз, выражение их лиц.

Когда-то Г.В. Плеханов, горестно сожалея о том, что к власти в России пришла ватага Ульянова, заметил уныло: «Эти будут резать...».

Похожее ощущение возникло и у меня.

Цветаева писала когда-то о «законе руки протянутой».

Христос горестно говорил фарисеям и саддукеям: «Мы вам говорим, а вы слов наших не слышите». Дело-то ведь — общее. Но — нет...

9 июня 1998 года Священный Синод постановил: Патриарху Всея Руси в церемонии похорон Государя, Семьи и людей — не участвовать. И никому из членов Синода! Ибо Останки — всего лишь останки. Неизвестно — чьи. Криминалистика же и генетика — не доказывают ровным счетом ничего...

Я потрясен? Удивлен? Растерян?

Уверен: эти чувства испытывают сегодня многие. Верующие и не верующие, но вполне разумные люди.

Я не испытываю. Ибо небо на землю не упало, психбольницы на своих местах, и больные не распущены по домам, и даже Дума продолжает заседать и создавать законы о невозвращении художественных ценностей, взятых некогда «в Германии-Германии, проклятой стороне», а также о нераспродаже отечественной земли в свои и чужие руки. Все прекрасно в королевстве Российском, и сумасшедшего Гамлета, способного хоть что-нибудь изменить, нет и не предвидится.

Был шанс прекратить гражданскую войну, был шанс покаяться.

Впрочем, те, кто хотел покаяться, сделали это.

А кто полагает Джордано Бруно по-прежнему еритиком, а Ульянова — величайшим гением — им незачем.

Патриарх, митрополиты и епископы служить на похоронах не станут?

Простые петербургские батюшки будут молиться не о Царской Семье, а «обо всех убиенных»? Невместно это, а по сути — «трусость, подлость и обман», как некогда записал в дневнике сам Государь.

Испуганные чиновники Петербурга решают хоронить не Царя Русского, а «отрешегося от Престола Великого князя»?

Не чиновникам толковать метафизику октябрьского похабного переворота и не им определять — кто «князь», а кто грязь. Не их дело.

17 июля 1918 года убийца и каин Юровский зарыл несчастных Романовых в дорогу и был тем невероятно горд.

17 июля последователи Юровского зароют Страстотерпцев «тихо и скромно», дабы не обидеть наследников Октября.

«Каждый пишет, как он слышит», — сказал поэт.

Но если в ушах — вата, а в голове — каша, да еще плохо сваренная, — тогда...

Тогда каждому — свое.

Что касается господина Президента Российской Федерации — у него была историческая возможность презреть детский лепет обскурантов и встать во главу угла — бескомпромиссно и честно.

Но господин Президент окончил в свое время Кремлевскую приготовительную школу. Кредо этой школы: «как бы чего не вышло».

Какое безвременье, увы...

Какие ничтожные люди у руля и какие жутковатые — на горизонте.

Только винить некого.

В 17-м мы все решили сами, совершив антинациональную революцию.

В 98-м мы наступаем на те же грабли.

Марина Цветаева писала в марте 1918 года: «... распродавайте — на вес — часовни, Монастыри — с молотка — на слом. Рвитесь на лошади в Божий дом! Перепивайтесь кровавым пойлом! Стойла — в соборы! Соборы — в стойла! В чертову дюжину — календарь! **Нас под рогожу за слово: царь!**» (выделено мною — *Г.Р.*)

Все повторяется.

Ждать уже не долго...

Куда идет Россия...

Куда она, грешная, валится...

Господи, спаси и умири!

Коротко об авторе этой книги

Гелий Рябов, писатель и кинодраматург, автор популярных (до наших дней) телесериалов «Рожденная революцией», «Государственная граница» и «Конь белый». Автор многих книг о работе милиции и госбезопасности (эти повести никогда не были комплиментарными, писатель всегда стремился сказать правду, подчас достаточно тяжелую). Гелий Рябов был одним из тех, кто в 1979 году, после долгой исследовательской работы, открыл теоретически и вместе с Александром Авдониным и Геннадием Васильевым нашел реально место секретного захоронения убиенных Романовых и Их людей. Новая работа рассказывает о тяжком пути автора к этому скорбному открытию, о находке и о далеко не простых и не однозначных последствиях того, что произошло в 1979 году и продолжается до сего времени.

В книге представлены уникальные фотографии из архива Г.Рябова.

Гелий РЯБОВ
КАК ЭТО БЫЛО
(Романовы: сокрытие тел, поиск, последствия)

Выпускающий редактор *Д. Лавров*
Редактор *М. Казицкая*
Художественный редактор *М. Трубецкой*
Технолог *М. С. Белоусова*
Оператор компьютерной верстки *А. В. Волков*
Корректоры *Р. Канушкин, Е. Лунгин*

Издательская лицензия № 071429 от 17 апреля 1997 года.
Подписано в печать 19.06.98. Формат 84 × 108/32.
Гарнитура Таймс. Печать высокая.
Объем 9 печ. л. Тираж 10 000 экз.
Изд. № 005. Заказ № 1228.

Издательство «Политбюро»
109369, Москва, Новочеркасский б-р, 47

Отпечатано с готовых диапозитивов
в Государственном ордена Октябрьской Революции,
ордена Трудового Красного Знамени
Московском предприятии
«Первая Образцовая типография»
Государственного комитета РФ по печати.
113054, Москва, Валовая, 28.

2 9540